bibl

Candide
ou l'Optimisme

VOLTAIRE

Notes, questionnaires et dossier
par Isabelle de Lisle,
agrégée de Lettres modernes,
professeur en lycée,

et Sylvie Beauthier,
agrégée de Lettres classiques,
professeur en lycée.

Sommaire

❶ Avant de lire l'œuvre

▌ L'essentiel sur l'auteur .. 4
▌ Fiche de lecture ... 6

❷ *Candide ou l'Optimisme* (texte intégral)

▶ Chapitre premier .. 11
Questionnaire : « *Il y avait en Vestphalie* » 15
▶ Chapitre deuxième .. 17
▶ Chapitre troisième .. 20
▶ Chapitre quatrième ... 23
▶ Chapitre cinquième ... 27
▶ Chapitre sixième .. 31
Questionnaire : Un « *bel auto-da-fé* » 33
▶ Chapitre septième .. 35
▶ Chapitre huitième ... 37
▶ Chapitre neuvième .. 41
▶ Chapitre dixième .. 43
▶ Chapitre onzième ... 45
▶ Chapitre douzième .. 49
▶ Chapitre treizième .. 54
▶ Chapitre quatorzième .. 56
▶ Chapitre quinzième ... 60
▶ Chapitre seizième ... 63
▶ Chapitre dix-septième .. 67
▶ Chapitre dix-huitième .. 71
Questionnaire : À la cour de l'Eldorado 78
▶ Chapitre dix-neuvième ... 81
Questionnaire : L'esclave de Surinam 87
▶ Chapitre vingtième .. 89

ISBN : 978-2-01-394959-0
© Hachette Livre, 2016, 58 rue Jean Bleuzen, CS 70007, 92178 Vanves Cedex.
www.parascolaire.hachette-education.com

▶ Chapitre vingt et unième .. 92
▶ Chapitre vingt-deuxième ... 94
▶ Chapitre vingt-troisième .. 105
▶ Chapitre vingt-quatrième 107
▶ Chapitre vingt-cinquième 112
▶ Chapitre vingt-sixième .. 118
▶ Chapitre vingt-septième .. 122
▶ Chapitre vingt-huitième ... 126
▶ Chapitre vingt-neuvième .. 129
▶ Chapitre trentième .. 131
Questionnaire : Le jardin de Candide 137

❸ Dossier Bibliolycée

▶ Structure de l'œuvre .. 141
▶ Voltaire, philosophe engagé 142
▶ Louis XV et les Lumières 147
▶ Une œuvre des Lumières 152
▶ Étude des personnages .. 159
▶ Portfolio ... 163
▶ Prolongements ... 171

❹ Dossier Spécial bac

▶ Sujets d'écrit ... 174
▶ Sujets d'oral .. 183

VOLTAIRE
(1694-1778)

▮ Esprit provocateur, François-Marie Arouet connaît la prison et l'exil, au cours duquel il enrichit ses connaissances.

▮ Favori des princes ou tombé en disgrâce, il s'illustre dans différents genres et collabore à l'aventure de l'*Encyclopédie*.

▮ Il est l'incarnation du philosophe des Lumières libre et tolérant.

Voltaire par Maurice Quentin de La Tour (1736).

ŒUVRES-CLÉS

- *Œdipe* (1718), première tragédie.
- *Lettres philosophiques* (1734), essai philosophique qui défend le modèle libéral anglais et sera condamné par le Parlement.
- *Zadig ou la Destinée* (1747-1748), conte philosophique oriental.
- *Poème sur le désastre de Lisbonne* (1756).
- *Candide ou l'Optimisme* (1759), conte philosophique mais surtout polémique.
- *Traité sur la tolérance* (1763), qui influença la réhabilitation de Calas.
- *Dictionnaire philosophique portatif* (1764), condensé de la pensée de Voltaire en 614 articles.
- *L'Ingénu* (1767), conte philosophique.

Voltaire en 10 dates

1704 Commence de brillantes études au collège jésuite Louis-le-Grand.

1717 Est embastillé pour des vers satiriques contre le Régent et prend le pseudonyme de Voltaire en prison.

1726 À la suite d'une querelle avec le chevalier de Rohan, est emprisonné à la Bastille puis exilé en Angleterre.

1734 **La publication des *Lettres philosophiques*, réunissant la plupart des grands thèmes des Lumières, l'oblige à fuir à Cirey, chez Mme du Châtelet.**

1746 Est élu à l'Académie française.

1750 Est invité à Berlin par Frédéric II, le roi-philosophe.

1755 Interdit de séjour à Paris, il achète le domaine des *Délices*, en Suisse.

1759 **Publie *Candide* et s'installe à Ferney, à la frontière franco-suisse.**

1762 **Voltaire prend la défense du protestant Jean Calas.** Il obtiendra sa réhabilitation.

1778 Retour triomphal à Paris en février. Décède le 30 mai à 84 ans.

Candide ou l'Optimisme

Première publication : 15 janvier 1759
Nouvelle édition : 1761
Genre : conte philosophique
Registres dominants : satirique, polémique
Courant littéraire : les Lumières

PRÉSENTATION

Philosophe engagé, Voltaire a déjà eu recours à la fiction (*Zadig* en 1747-1748, *Micromégas* en 1752) pour exprimer ses idées. Dans *Candide*, récit amusant et exotique paru en 1759 et publié sans nom d'auteur afin d'échapper à la censure, il remet en cause la conception optimiste du monde tout en dénonçant les travers de son temps.

THÈMES TRAITÉS

▶ Réfutation de l'optimisme

Voltaire s'en prend au philosophe allemand Leibniz (1646-1716) pour qui le mal est nécessaire à l'harmonie d'un monde conçu par un Dieu bon. Chaque épisode tend à montrer que nous ne vivons pas dans « *le meilleur des mondes possibles* ».

▶ Critique des institutions et de la société du XVIIIᵉ siècle

Au nom des valeurs des Lumières, Voltaire dénonce, entre autres, l'intolérance religieuse, le pouvoir absolu, l'obscurantisme de la noblesse et la malhonnêteté du commerce.

POUR COMPRENDRE L'ŒUVRE

▶ Un conte philosophique

Parodiant le roman picaresque (*cf.* p. 153) à la mode et le conte merveilleux, Voltaire s'inspire des récits de voyage pour imaginer les aventures de ses personnages autour du monde. Égrenant les malheurs, le récit invite à une seconde lecture : la critique des institutions et la dénonciation de l'optimisme sont gravées en filigrane de toutes ces péripéties.

▶ Ironie et participation du lecteur

La plume de Voltaire s'amuse à écrire un *« petit roman »*, une *« coïonnerie »*, sans perdre de vue les enjeux des Lumières. Le narrateur s'efface, ne prend pas position et laisse au lecteur le soin de tirer lui-même la leçon de chaque chapitre. Et, quand la neutralité devient éloge enthousiaste, le texte invite à être compris à l'envers : l'ironie est une arme efficace pour bousculer le lecteur.

▶ Candide et les trois paradis

Défini par son nom, le héros pose un regard naïf sur le monde qui l'entoure. Son parcours initiatique l'arrache au paradis illusoire de la baronnie pour le jeter sur les chemins d'une réalité malheureuse : où est donc le *« meilleur des mondes possibles »* ? À mi-parcours, il découvre le paradis immobile de l'Eldorado, mais, homme de désir et de pouvoir malgré sa candeur, il reprend son voyage. Le dernier paradis sera un jardin à cultiver près de Constantinople.

LES CRITIQUES

« Dors-tu content, Voltaire, et ton hideux sourire
Voltige-t-il encor sur tes os décharnés ? »

Alfred de Musset, *Rolla*, 1833.

« La fin de Candide *est ainsi, pour moi, la preuve criante d'un génie de premier ordre. La griffe du lion est marquée dans cette conclusion tranquille, bête comme la vie. »*

Gustave Flaubert, *Correspondance*, lettre à Louise Colet (24 avril 1852).

Cunégonde et Candide, gravure de C. Monnet.

VOLTAIRE

Candide ou l'Optimisme

TRADUIT DE L'ALLEMAND
DE MR. LE DOCTEUR RALPH[1]

avec les additions qu'on a trouvées
dans la poche du docteur, lorsqu'il mourut
à Minden, l'an de grâce 1759[2]

Notes

1. Mention figurant sur la page de titre de l'édition originale de 1759 parue à Genève.

2. Mention ajoutée en 1761 sur la page de titre de la nouvelle édition parue à Genève.

Candide chassé du château par le baron, gravure de Jean Dambrun
d'après un dessin de Moreau-le-Jeune.

Candide ou l'Optimisme[1]

CHAPITRE PREMIER

COMMENT CANDIDE FUT ÉLEVÉ DANS UN BEAU CHÂTEAU, ET COMMENT IL FUT CHASSÉ D'ICELUI[2]

1 Il y avait en Vestphalie[3], dans le château de monsieur le baron de Thunder[4]-ten-tronckh, un jeune garçon à qui la nature avait donné les mœurs[5] les plus douces. Sa physionomie[6] annonçait son âme. Il avait le jugement assez droit, avec l'esprit le
5 plus simple ; c'est, je crois, pour cette raison qu'on le nommait Candide. Les anciens domestiques de la maison soupçonnaient qu'il était fils de la sœur de monsieur le baron et d'un bon et honnête gentilhomme du voisinage, que cette demoiselle

Notes

1. **Optimisme :** le terme est nouveau au XVIIIᵉ siècle ; il désigne une doctrine philosophique.
2. **icelui :** celui-ci. Pronom démonstratif en ancien français ; il n'est plus utilisé au XVIIIᵉ siècle.
3. **Vestphalie :** Westphalie, province allemande pauvre et touchée par les guerres européennes.

4. **Thunder-ten-tronckh :** ce nom à consonance germanique inclut le mot *Thunder* qui signifie « orage » en anglais.
5. **les mœurs :** le comportement.
6. **Sa physionomie :** son visage.

ne voulut jamais épouser, parce qu'il n'avait pu prouver que soixante et onze quartiers[1], et que le reste de son arbre généalogique avait été perdu par l'injure du temps.

Monsieur le baron était un des plus puissants seigneurs de la Vestphalie, car son château avait une porte et des fenêtres. Sa grande salle même était ornée d'une tapisserie. Tous les chiens de ses basses-cours composaient une meute dans le besoin, ses palefreniers[2] étaient ses piqueurs[3], le vicaire[4] du village était son grand-aumônier[5]. Ils l'appelaient tous Monseigneur, et ils riaient quand il faisait des contes.

Madame la baronne, qui pesait environ trois cent cinquante livres[6], s'attirait par là une très grande considération, et faisait les honneurs de la maison avec une dignité qui la rendait encore plus respectable. Sa fille Cunégonde, âgée de dix-sept ans, était haute en couleur, fraîche, grasse, appétissante. Le fils du baron paraissait en tout digne de son père. Le précepteur Pangloss était l'oracle[7] de la maison, et le petit Candide écoutait ses leçons avec toute la bonne foi de son âge et de son caractère.

Pangloss enseignait la métaphysico-théologo-cosmolonigologie[8]. Il prouvait admirablement qu'il n'y a point d'effet sans cause[9], et que, dans ce meilleur des mondes possibles, le château de monseigneur le baron était le plus beau des châteaux, et madame la meilleure des baronnes possibles.

Notes

1. **soixante et onze quartiers :** 71 ascendants dont la noblesse est certaine (plus de six générations).
2. **palefreniers :** personnes chargées du soin des chevaux.
3. **piqueurs :** cavaliers en charge de la meute lors d'une chasse à courre.
4. **vicaire :** prêtre attaché à une paroisse, adjoint du curé.
5. **grand-aumônier :** prêtre attaché à une cour princière ou royale.

6. **trois cent cinquante livres :** plus de 170 kg.
7. **oracle :** personne compétente, dont les propos sont incontestables.
8. **métaphysico-théologo-cosmolonigologie :** néologisme parodiant le langage philosophique.
9. **point d'effet sans cause :** allusion aux *Essais de théodicée* du philosophe allemand Leibniz (1646-1716).

«Il est démontré, disait-il, que les choses ne peuvent être autrement : car, tout étant fait pour une fin, tout est nécessairement pour la meilleure fin. Remarquez bien que les nez ont été faits pour porter des lunettes ; aussi avons-nous des lunettes. Les jambes sont visiblement instituées pour être chaussées, et nous avons des chausses[1]. Les pierres ont été formées pour être taillées et pour en faire des châteaux ; aussi monseigneur a un très beau château : le plus grand baron de la province doit être le mieux logé ; et les cochons étant faits pour être mangés, nous mangeons du porc toute l'année. Par conséquent, ceux qui ont avancé que tout est bien ont dit une sottise : il fallait dire que tout est au mieux. »

Candide écoutait attentivement, et croyait innocemment : car il trouvait mademoiselle Cunégonde extrêmement belle, quoiqu'il ne prît jamais la hardiesse de le lui dire. Il concluait qu'après le bonheur d'être né baron de Thunder-ten-tronckh, le second degré de bonheur était d'être mademoiselle Cunégonde ; le troisième, de la voir tous les jours ; et le quatrième, d'entendre maître Pangloss, le plus grand philosophe de la province, et par conséquent de toute la Terre.

Un jour, Cunégonde, en se promenant auprès du château, dans le petit bois qu'on appelait *parc*, vit entre des broussailles le docteur Pangloss qui donnait une leçon de physique expérimentale à la femme de chambre[2] de sa mère, petite brune très jolie et très docile. Comme mademoiselle Cunégonde avait beaucoup de disposition pour les sciences, elle observa, sans souffler[3], les expériences réitérées[4] dont elle fut témoin ; elle vit clairement la raison suffisante[5] du docteur, les effets et les causes, et s'en retourna tout agitée, toute pensive, toute rem-

Notes

1. **chausses** : bas.
2. **femme de chambre** : il s'agit de Paquette (*cf.* Chap. 4).
3. **sans souffler** : sans un mot, sans faire de bruit.

4. **réitérées** : répétées.
5. **raison suffisante** : expression de Leibniz qui signifie que rien n'arrive sans cause.

plie du désir d'être savante, songeant qu'elle pourrait bien être la raison suffisante du jeune Candide, qui pouvait aussi être la sienne.

65 Elle rencontra Candide en revenant au château, et rougit ; Candide rougit aussi ; elle lui dit bonjour d'une voix entrecoupée, et Candide lui parla sans savoir ce qu'il disait. Le lendemain, après le dîner, comme on sortait de table, Cunégonde et Candide se trouvèrent derrière un paravent ; Cunégonde
70 laissa tomber son mouchoir, Candide le ramassa ; elle lui prit innocemment la main ; le jeune homme baisa innocemment la main de la jeune demoiselle avec une vivacité, une sensibilité, une grâce toute particulière : leurs bouches se rencontrèrent, leurs yeux s'enflammèrent, leurs genoux tremblèrent,
75 leurs mains s'égarèrent. Monsieur le baron de Thunder-ten-tronckh passa auprès du paravent, et, voyant cette cause et cet effet, chassa Candide du château à grands coups de pied dans le derrière ; Cunégonde s'évanouit : elle fut souffletée par madame la baronne dès qu'elle fut revenue à elle-même ; et
80 tout fut consterné[1] dans le plus beau et le plus agréable des châteaux possibles.

Note

1. consterné : désespéré.

« Il y avait en Vestphalie »

Lecture analytique de l'extrait (pp. 11 à 14)

IL ÉTAIT UNE FOIS UN CONTE...

Les fonctions d'un *incipit*

- Présenter le lieu et l'époque (le contexte), les personnages, l'intrigue et, éventuellement, les thèmes.
- Susciter l'intérêt du lecteur.

❶ Quel est le cadre spatio-temporel ? Dans quelle mesure peut-on dire que la baronnie est présentée comme un monde merveilleux, un « *paradis terrestre* » (l. 1 , p. 17) ?

❷ Quel portrait du personnage éponyme* Voltaire dresse-t-il dans le premier paragraphe ? Comment la suite du chapitre renforce-t-elle cette présentation ?

> * *Éponyme* : qui donne son nom à l'œuvre.

❸ Dans quel ordre les autres personnages sont-ils présentés ? Pourquoi, selon vous ? Qu'apprend-on sur chacun d'eux, notamment par le biais de leur nom ?

Le schéma narratif

Dans les années 1960, les linguistes ont dégagé une structure commune aux contes : situation initiale (stable), élément perturbateur, péripéties, élément de résolution, situation finale (stable).

❹ Quelle est la situation initiale du conte ? En quoi l'indice temporel « *Un jour* » (l. 53, p. 13) marque-t-il un changement ? Quels temps dominent de part et d'autre de cet indicateur ?

5 Quelle construction de l'adjectif, fréquente dans ce passage, caractérise le conte ? Commentez aussi la première phrase de l'œuvre. En quoi Voltaire se moque-t-il du genre du conte ?

UN CONTE PHILOSOPHIQUE : LA CRITIQUE DE L'ARISTOCRATIE ET DU DOGMATISME*

> * *Dogmatisme :* toute théorie qui ne se confronte pas à l'expérience.

6 Relevez les différentes appellations du baron dans le chapitre ? Comment contribuent-elles à ridiculiser le personnage ?

7 Quel reproche Voltaire adresse-t-il à la noblesse dans le premier paragraphe ?

8 Sur quels éléments la puissance du baron repose-t-elle dans le deuxième paragraphe ? Qu'en déduisez-vous ?

Les marques du raisonnement philosophique

- **Un lexique abstrait** et **des connecteurs logiques** (cause, conséquence…).
- **La généralisation :** présent de vérité générale, déterminant généralisant, etc.
- **Un raisonnement :** cause/conséquence ; idée/exemple ; exemple/idée.

9 En quoi le discours de Pangloss (l. 33 à 44, p. 13) s'apparente-t-il à une démonstration philosophique ?

10 Comment Voltaire, en présentant Pangloss et en rapportant son discours, ridiculise-t-il son personnage ?

11 De quelle manière Voltaire s'y prend-il pour dénoncer la théorie de l'optimisme* et les dangers du dogmatisme ?

> * *Optimisme :* au XVIIIe siècle, conception positive du monde, le mal étant considéré comme une nécessité.

CHAPITRE DEUXIÈME

CE QUE DEVINT CANDIDE PARMI LES BULGARES

1 Candide, chassé du paradis terrestre[1], marcha longtemps
sans savoir où, pleurant, levant les yeux au ciel, les tournant
souvent vers le plus beau des châteaux, qui renfermait la plus
belle des baronnettes[2]; il se coucha sans souper au milieu des
5 champs entre deux sillons; la neige tombait à gros flocons.
Candide, tout transi[3], se traîna le lendemain vers la ville voi-
sine, qui s'appelle Valdberghoff-trarbk-dikdorff[4], n'ayant point
d'argent, mourant de faim et de lassitude. Il s'arrêta tristement
à la porte d'un cabaret.

10 Deux hommes habillés de bleu[5] le remarquèrent : «Cama-
rade, dit l'un, voilà un jeune homme très bien fait, et qui a la
taille requise.» Ils s'avancèrent vers Candide, et le prièrent à
dîner très civilement[6]. «Messieurs, leur dit Candide avec une
modestie charmante, vous me faites beaucoup d'honneur, mais
15 je n'ai pas de quoi payer mon écot[7]. – Ah! monsieur, lui dit un
des bleus, les personnages de votre figure et de votre mérite ne
payent jamais rien : n'avez-vous pas cinq pieds cinq pouces[8] de
haut? – Oui, messieurs, c'est ma taille, dit-il en faisant la révé-
rence. – Ah! monsieur, mettez-vous à table; non seulement

Notes

1. **paradis terrestre** : allusion au jardin
d'Éden d'où Adam et Ève furent chassés
(la Bible, livre de la *Genèse*).
2. **baronnettes** : néologisme pour
désigner Cunégonde, la fille du baron.
3. **transi** : gelé.
4. **Valdberghoff-trarbk-dikdorff** : mot
inventé à consonance allemande : *Wald*
(«forêt»), *Berg* («montagne»), *Hof*
(«cour»), *Trabkf* («gageure dérisoire»),
Dick («épais»), *Dorf* («village»).

5. **Deux hommes habillés de bleu** :
soldats prussiens chargés du recrutement.
6. **civilement** : poliment.
7. **payer mon écot** : payer ma part.
8. **cinq pieds cinq pouces** : environ
1,80 m.

20 nous vous défrayerons¹, mais nous ne souffrirons² jamais qu'un homme comme vous manque d'argent ; les hommes ne sont faits que pour se secourir les uns les autres. – Vous avez raison, dit Candide ; c'est ce que monsieur Pangloss m'a toujours dit, et je vois bien que tout est au mieux. » On le prie d'accepter
25 quelques écus, il les prend et veut faire son billet³, on n'en veut point, on se met à table. « N'aimez-vous pas tendrement ?... – Oh ! oui, répond-il, j'aime tendrement mademoiselle Cunégonde. – Non, dit l'un de ces messieurs, nous vous demandons si vous n'aimez pas tendrement le roi des Bulgares⁴ ? – Point du
30 tout, dit-il, car je ne l'ai jamais vu. – Comment ! c'est le plus charmant des rois, et il faut boire à sa santé. – Oh ! très volontiers, messieurs. » Et il boit. « C'en est assez, lui dit-on, vous voilà l'appui, le soutien, le défenseur, le héros des Bulgares ; votre fortune est faite, et votre gloire est assurée. » On lui met
35 sur-le-champ les fers aux pieds, et on le mène au régiment. On le fait tourner à droite, à gauche, hausser la baguette⁵, remettre la baguette, coucher en joue, tirer, doubler le pas, et on lui donne trente coups de bâton ; le lendemain, il fait l'exercice un peu moins mal, et il ne reçoit que vingt coups ; le surlen-
40 demain, on ne lui en donne que dix, et il est regardé par ses camarades comme un prodige⁶.

Candide, tout stupéfait, ne démêlait pas⁷ encore trop bien comment il était un héros. Il s'avisa⁸ un beau jour de printemps de s'aller promener, marchant tout droit devant lui,
45 croyant que c'était un privilège de l'espèce humaine, comme

de l'espèce animale, de se servir de ses jambes à son plaisir. Il n'eut pas fait deux lieues[1] que voilà quatre autres héros de six pieds qui l'atteignent, qui le lient, qui le mènent dans un cachot. On lui demanda juridiquement ce qu'il aimait le mieux, d'être fustigé[2] trente-six fois par tout le régiment, ou de recevoir à la fois douze balles de plomb dans la cervelle. Il eut beau dire que les volontés sont libres, et qu'il ne voulait ni l'un ni l'autre, il fallut faire un choix : il se détermina, en vertu du don de Dieu qu'on nomme *liberté*, à passer trente-six fois par les baguettes ; il essuya deux promenades. Le régiment était composé de deux mille hommes. Cela lui composa quatre mille coups de baguettes, qui, depuis la nuque du cou jusqu'au cul, lui découvrirent les muscles et les nerfs. Comme on allait procéder à la troisième course, Candide, n'en pouvant plus, demanda en grâce qu'on voulût bien avoir la bonté de lui casser la tête : il obtint cette faveur ; on lui bande les yeux ; on le fait mettre à genoux. Le roi des Bulgares passe dans ce moment, s'informe du crime du patient ; et comme ce roi avait un grand génie, il comprit, par tout ce qu'il apprit de Candide, que c'était un jeune métaphysicien[3] fort ignorant des choses de ce monde, et il lui accorda sa grâce avec une clémence[4] qui sera louée dans tous les journaux et dans tous les siècles. Un brave chirurgien guérit Candide en trois semaines avec les émollients[5] enseignés par Dioscoride[6]. Il avait déjà un peu de peau, et pouvait marcher, quand le roi des Bulgares livra bataille au roi des Abares[7].

Notes

1. Une lieue correspond environ à 4 km.
2. fustigé : corrigé à coups de bâton.
3. métaphysicien : philosophe réfléchissant à ce qui est au-delà de notre monde.
4. clémence : indulgence.

5. émollients : produits qui détendent les muscles.
6. Dioscoride : médecin grec du I[er] siècle ap. J.-C.
7. Abares : peuple d'origine mongole qui envahit l'Europe orientale du VI[e] au IX[e] siècle.

CHAPITRE TROISIÈME

COMMENT CANDIDE SE SAUVA D'ENTRE LES BULGARES, ET CE QU'IL DEVINT

1 Rien n'était si beau, si leste[1], si brillant, si bien ordonné que les deux armées. Les trompettes, les fifres[2], les hautbois, les tambours, les canons, formaient une harmonie telle qu'il n'y en eut jamais en enfer. Les canons renversèrent d'abord à peu

5 près six mille hommes de chaque côté ; ensuite la mousqueterie[3] ôta du meilleur des mondes environ neuf à dix mille coquins[4] qui en infectaient la surface. La baïonnette fut aussi la raison suffisante de la mort de quelques milliers d'hommes. Le tout pouvait bien se monter à une trentaine de mille âmes[5].

10 Candide, qui tremblait comme un philosophe, se cacha du mieux qu'il put pendant cette boucherie héroïque.

 Enfin, tandis que les deux rois faisaient chanter des *Te Deum*[6] chacun dans son camp, il prit le parti d'aller raisonner ailleurs des effets et des causes[7]. Il passa par-dessus des tas de morts et

15 de mourants, et gagna d'abord un village voisin ; il était en cendres : c'était un village abare que les Bulgares avaient brûlé, selon les lois du droit public[8]. Ici des vieillards criblés de coups regardaient mourir leurs femmes égorgées, qui tenaient leurs enfants à leurs mamelles sanglantes ; là des filles, éventrées après

20 avoir assouvi les besoins naturels de quelques héros, rendaient

les derniers soupirs; d'autres, à demi brûlées, criaient qu'on achevât de leur donner la mort. Des cervelles étaient répandues sur la terre à côté de bras et de jambes coupés.

Candide s'enfuit au plus vite dans un autre village : il ap-
25 partenait à des Bulgares, et les héros abares l'avaient traité de même. Candide, toujours marchant sur des membres palpitants, ou à travers des ruines, arriva enfin hors du théâtre[1] de la guerre, portant quelques petites provisions dans son bissac[2], et n'oubliant jamais mademoiselle Cunégonde. Ses provisions
30 lui manquèrent quand il fut en Hollande ; mais ayant entendu dire que tout le monde était riche dans ce pays-là, et qu'on y était chrétien, il ne douta pas qu'on ne le traitât aussi bien qu'il l'avait été dans le château de monsieur le baron, avant qu'il en eût été chassé pour les beaux yeux de mademoiselle
35 Cunégonde.

Il demanda l'aumône à plusieurs graves[3] personnages qui lui répondirent tous que, s'il continuait à faire ce métier, on l'enfermerait dans une maison de correction pour lui apprendre à vivre.

40 Il s'adressa ensuite à un homme[4] qui venait de parler tout seul une heure de suite sur la charité dans une grande assemblée. Cet orateur, le regardant de travers, lui dit : « Que venez-vous faire ici ? y êtes-vous pour la bonne cause ? – Il n'y a point d'effet sans cause, répondit modestement Candide ; tout est
45 enchaîné nécessairement et arrangé pour le mieux[5]. Il a fallu que je fusse chassé d'auprès de mademoiselle Cunégonde, que j'aie passé par les baguettes, et il faut que je demande mon pain, jusqu'à ce que je puisse en gagner ; tout cela ne pouvait

Notes

1. **théâtre** : à prendre au sens propre et au sens figuré (« lieu où se déroule un événement »).
2. **bissac** : sac à deux poches.
3. **graves** : importants.

4. **un homme** : la suite du récit montre qu'il s'agit d'un pasteur (prêtre protestant).
5. **Il n'y a point d'effet sans cause [...] mieux** : allusion à la philosophie de Leibniz.

être autrement. – Mon ami, lui dit l'orateur, croyez-vous que
50 le pape soit l'Antéchrist[1] ? – Je ne l'avais pas encore entendu
dire, répondit Candide ; mais, qu'il le soit ou qu'il ne le soit
pas, je manque de pain. – Tu ne mérites pas d'en manger, dit
l'autre ; va, coquin ; va, misérable, ne m'approche de ta vie. »
La femme de l'orateur ayant mis la tête à la fenêtre, et avisant
55 un homme qui doutait que le pape fût antéchrist, lui répandit
sur le chef[2] un plein… Ô Ciel ! à quel excès se porte le zèle de
la religion dans les dames !

Un homme qui n'avait point été baptisé, un bon anabap-
tiste[3], nommé Jacques, vit la manière cruelle et ignominieuse[4]
60 dont on traitait ainsi un de ses frères, un être à deux pieds
sans plumes[5], qui avait une âme ; il l'emmena chez lui, le net-
toya, lui donna du pain et de la bière, lui fit présent de deux
florins[6], et voulut même lui apprendre à travailler dans ses
manufactures aux étoffes de Perse qu'on fabrique en Hollande.
65 Candide, se prosternant presque devant lui, s'écriait : « Maître
Pangloss me l'avait bien dit que tout est au mieux dans ce
monde, car je suis infiniment plus touché de votre extrême
générosité que de la dureté de ce monsieur à manteau noir, et
de madame son épouse. »

70 Le lendemain, en se promenant, il rencontra un gueux[7] tout
couvert de pustules, les yeux morts, le bout du nez rongé,
la bouche de travers, les dents noires, et parlant de la gorge,
tourmenté d'une toux violente, et crachant une dent à chaque
effort.

1. **Antéchrist** : ennemi du Christ.
2. **le chef** : la tête.
3. **anabaptiste** : membre d'une Église protestante qui prône le baptême des adultes plutôt que celui des enfants.
4. **ignominieuse** : honteuse, infâme.

5. **un être à deux pieds sans plumes** : définition à la manière des naturalistes.
6. **florins** : monnaie hollandaise ; on peut vivre plusieurs jours avec deux florins.
7. **gueux** : pauvre, misérable.

CHAPITRE QUATRIÈME

COMMENT CANDIDE RENCONTRA SON ANCIEN MAÎTRE DE PHILOSOPHIE, LE DOCTEUR PANGLOSS, ET CE QUI EN ADVINT

1　Candide, plus ému encore de compassion[1] que d'horreur, donna à cet épouvantable gueux les deux florins qu'il avait reçus de son honnête anabaptiste Jacques. Le fantôme le regarda fixement, versa des larmes, et sauta à son cou. Candide,
5　effrayé, recule. «Hélas! dit le misérable à l'autre misérable, ne reconnaissez-vous plus votre cher Pangloss? – Qu'entends-je? Vous, mon cher maître! vous, dans cet état horrible! Quel malheur vous est-il donc arrivé? Pourquoi n'êtes-vous plus dans le plus beau des châteaux? Qu'est devenue mademoiselle
10　Cunégonde, la perle des filles, le chef-d'œuvre de la nature? – Je n'en peux plus», dit Pangloss. Aussitôt Candide le mena dans l'étable de l'anabaptiste, où il lui fit manger un peu de pain; et quand Pangloss fut refait[2] : «Eh bien! lui dit-il, Cunégonde? – Elle est morte», reprit l'autre. Candide s'évanouit à
15　ce mot; son ami rappela ses sens avec un peu de mauvais vinaigre qui se trouva par hasard dans l'étable. Candide rouvre les yeux. «Cunégonde est morte! Ah! meilleur des mondes, où êtes-vous? Mais de quelle maladie est-elle morte? Ne serait-ce point de m'avoir vu chassé du beau château de mon-
20　sieur son père à grands coups de pied? – Non, dit Pangloss, elle a été éventrée par des soldats bulgares, après avoir été violée autant qu'on peut l'être; ils ont cassé la tête à monsieur le baron, qui voulait la défendre; madame la baronne a été coupée en morceaux; mon pauvre pupille[3], traité précisément
25　comme sa sœur; et quant au château, il n'est pas resté pierre

Notes

1. **compassion** : pitié.
2. **fut refait** : eut récupéré ses forces.

3. **pupille** : élève (le fils du baron) confié à Pangloss.

sur pierre, pas une grange, pas un mouton, pas un canard, pas
un arbre ; mais nous avons été bien vengés, car les Abares en
ont fait autant dans une baronnie voisine qui appartenait à un
seigneur bulgare. »

30 À ce discours, Candide s'évanouit encore ; mais, revenu à soi
et ayant dit tout ce qu'il devait dire, il s'enquit de[1] la cause et de
l'effet, et de la raison suffisante qui avaient mis Pangloss dans
un si piteux état. « Hélas ! dit l'autre, c'est l'amour : l'amour,
le consolateur du genre humain, le conservateur de l'univers,
35 l'âme de tous les êtres sensibles, le tendre amour. – Hélas ! dit
Candide, je l'ai connu, cet amour, ce souverain des cœurs,
cette âme de notre âme ; il ne m'a jamais valu qu'un baiser et
vingt coups de pied au cul. Comment cette belle cause a-t-elle
pu produire en vous un effet si abominable ? »

40 Pangloss répondit en ces termes : « Ô mon cher Candide !
vous avez connu Paquette, cette jolie suivante de notre au-
guste baronne ; j'ai goûté dans ses bras les délices du paradis,
qui ont produit ces tourments d'enfer dont vous me voyez
dévoré[2] ; elle en était infectée, elle en est peut-être morte.
45 Paquette tenait ce présent d'un cordelier[3] très savant qui avait
remonté à la source, car il l'avait eu d'une vieille comtesse,
qui l'avait reçu d'un capitaine de cavalerie, qui le devait à une
marquise, qui le tenait d'un page, qui l'avait reçu d'un jésuite
qui, étant novice[4], l'avait eu en droite ligne d'un des compa-
50 gnons de Christophe Colomb. Pour moi, je ne le donnerai à
personne, car je me meurs.

– Ô Pangloss ! s'écria Candide, voilà une étrange généa-
logie ! n'est-ce pas le diable qui en fut la souche ? – Point

Notes

1. s'enquit de : chercha.
2. ces tourments [...] dévoré : Pangloss
est atteint de la petite vérole, maladie
sexuellement transmissible qui laisse
d'importantes cicatrices.

3. cordelier : moine franciscain (ordre de
saint François d'Assise).
4. novice : religieux qui porte l'habit mais
n'a pas encore prononcé ses vœux.

du tout, répliqua ce grand homme ; c'était une chose indis-
pensable dans le meilleur des mondes, un ingrédient néces-
saire : car si Colomb n'avait pas attrapé dans une île de
l'Amérique cette maladie qui empoisonne la source de la
génération[1], qui souvent même empêche la génération, et
qui est évidemment l'opposé du grand but de la nature,
nous n'aurions ni le chocolat[2] ni la cochenille[3] ; il faut en-
core observer que jusqu'aujourd'hui, dans notre continent,
cette maladie nous est particulière, comme la controverse[4].
Les Turcs, les Indiens, les Persans, les Chinois, les Sia-
mois[5], les Japonais, ne la connaissent pas encore ; mais il y
a une raison suffisante pour qu'ils la connaissent à leur tour
dans quelques siècles. En attendant, elle a fait un merveil-
leux progrès parmi nous, et surtout dans ces grandes ar-
mées composées d'honnêtes stipendiaires[6] bien élevés, qui
décident du destin des États ; on peut assurer que, quand
trente mille hommes combattent en bataille rangée contre
des troupes égales en nombre, il y a environ vingt mille
vérolés[7] de chaque côté.

　　– Voilà qui est admirable, dit Candide ; mais il faut vous faire
guérir. – Et comment le puis-je ? dit Pangloss ; je n'ai pas le
sou, mon ami, et dans toute l'étendue de ce globe on ne peut
ni se faire saigner, ni prendre un lavement sans payer, ou sans
qu'il y ait quelqu'un qui paye pour nous. »

　　Ce dernier discours détermina Candide ; il alla se jeter aux
pieds de son charitable anabaptiste Jacques, et lui fit une pein-
ture si touchante de l'état où son ami était réduit, que le
bonhomme n'hésita pas à recueillir le docteur Pangloss ; il

le fit guérir à ses dépens[1]. Pangloss, dans la cure, ne perdit qu'un œil et une oreille. Il écrivait bien et savait parfaitement l'arithmétique. L'anabaptiste Jacques en fit son teneur de livres[2]. Au bout de deux mois, étant obligé d'aller à Lisbonne pour les affaires de son commerce, il mena dans son vaisseau ses deux philosophes. Pangloss lui expliqua comment tout était on ne peut mieux. Jacques n'était pas de cet avis. «Il faut bien, disait-il, que les hommes aient un peu corrompu la nature, car ils ne sont point nés loups, et ils sont devenus loups[3]. Dieu ne leur a donné ni canons de vingt-quatre[4], ni baïonnettes; et ils se sont fait des baïonnettes et des canons pour se détruire. Je pourrais mettre en ligne de compte les banqueroutes, et la justice, qui s'empare des biens des banqueroutiers pour en frustrer les créanciers. – Tout cela était indispensable, répliquait le docteur borgne, et les malheurs particuliers font le bien général; de sorte que plus il y a de malheurs particuliers, et plus tout est bien.» Tandis qu'il raisonnait, l'air s'obscurcit, les vents soufflèrent des quatre coins du monde, et le vaisseau fut assailli de la plus horrible tempête, à la vue du port de Lisbonne.

CHAPITRE CINQUIÈME

Tempête, naufrage, tremblement de terre, et ce qui advint du docteur Pangloss, de Candide et de l'anabaptiste Jacques

1 La moitié des passagers affaiblis, expirants[1] de ces angoisses inconcevables que le roulis d'un vaisseau porte dans les nerfs et dans toutes les humeurs[2] du corps agitées en sens contraires, n'avait pas même la force de s'inquiéter du danger. L'autre
5 moitié jetait des cris et faisait des prières ; les voiles étaient déchirées, les mâts brisés, le vaisseau entrouvert. Travaillait qui pouvait, personne ne s'entendait, personne ne commandait. L'anabaptiste aidait un peu à la manœuvre ; il était sur le tillac[3] ; un matelot furieux le frappe rudement et l'étend sur
10 les planches ; mais du coup qu'il lui donna, il eut lui-même une si violente secousse qu'il tomba hors du vaisseau, la tête la première. Il restait suspendu et accroché à une partie de mât rompue. Le bon Jacques court à son secours, l'aide à remonter, et de l'effort qu'il fait il est précipité dans la mer à la vue du
15 matelot, qui le laissa périr[4] sans daigner seulement le regarder. Candide approche, voit son bienfaiteur qui reparaît un moment, et qui est englouti pour jamais. Il veut se jeter après lui dans la mer : le philosophe Pangloss l'en empêche, en lui prouvant que la rade de Lisbonne avait été formée exprès pour
20 que cet anabaptiste s'y noyât. Tandis qu'il le prouvait *a priori*[5], le vaisseau s'entrouvre ; tout périt, à la réserve de Pangloss, de

Notes

1. **expirants** : mourants.
2. **humeurs** : liquides corporels, essentiels dans la médecine de l'époque.
3. **tillac** : pont supérieur du navire.

4. **périr** : mourir.
5. *a priori* : avant toute expérimentation, en théorie.

Candide, et de ce brutal de matelot qui avait noyé le vertueux anabaptiste : le coquin nagea heureusement[1] jusqu'au rivage, où Pangloss et Candide furent portés sur une planche.

Quand ils furent revenus un peu à eux, il marchèrent vers Lisbonne ; il leur restait quelque argent, avec lequel ils espéraient se sauver de la faim après avoir échappé à la tempête.

À peine ont-ils mis le pied dans la ville, en pleurant la mort de leur bienfaiteur, qu'ils sentent la terre trembler sous leurs pas ; la mer s'élève en bouillonnant dans le port, et brise les vaisseaux qui sont à l'ancre. Des tourbillons de flammes et de cendres couvrent les rues et les places publiques ; les maisons s'écroulent, les toits sont renversés sur les fondements, et les fondements se dispersent ; trente mille habitants de tout âge

La noyade de l'anabaptiste Jacques,
dans la mise en scène de *Candide* par Lyndsey Turner (*cf.* p. 168).

35 et de tout sexe sont écrasés sous des ruines. Le matelot disait
en sifflant et en jurant : «Il y aura quelque chose à gagner
ici. – Quelle peut être la raison suffisante de ce phénomène?
disait Pangloss. – Voici le dernier jour du monde!» s'écriait
Candide. Le matelot court incontinent[1] au milieu des débris,
40 affronte la mort pour trouver de l'argent, en trouve, s'en em-
pare, s'enivre, et, ayant cuvé son vin, achète les faveurs de la
première fille de bonne volonté qu'il rencontre sur les ruines
des maisons détruites, et au milieu des mourants et des morts.
Pangloss le tirait cependant[2] par la manche : «Mon ami, lui
45 disait-il, cela n'est pas bien, vous manquez à la raison univer-
selle, vous prenez mal votre temps. – Tête et sang, répondit
l'autre, je suis matelot et né à Batavia[3]; j'ai marché quatre fois
sur le crucifix dans quatre voyages au Japon[4]; tu as bien trouvé
ton homme avec ta raison universelle!»
50 Quelques éclats de pierre avaient blessé Candide; il était
étendu dans la rue et couvert de débris. Il disait à Pangloss :
«Hélas! procure-moi un peu de vin et d'huile[5]; je me meurs.
– Ce tremblement de terre n'est pas une chose nouvelle, ré-
pondit Pangloss; la ville de Lima éprouva les mêmes secousses
55 en Amérique l'année passée; mêmes causes, mêmes effets :
il y a certainement une traînée de soufre sous terre depuis
Lima jusqu'à Lisbonne. – Rien n'est plus probable, dit Can-
dide; mais, pour Dieu, un peu d'huile et de vin. – Comment,
probable? répliqua le philosophe, je soutiens que la chose est
60 démontrée.» Candide perdit connaissance, et Pangloss lui ap-
porta un peu d'eau d'une fontaine voisine.

Notes

1. **incontinent** : immédiatement.
2. **cependant** : pendant ce temps.
3. **Batavia** : actuellement Djakarta, la capitale de l'Indonésie.
4. **j'ai marché [...] Japon** : condition humiliante imposée par les Japonais aux commerçants hollandais.

5. Le vin lave la plaie et l'huile est un calmant : c'est une allusion à la parabole du Bon Samaritain dans l'Évangile de Luc (10; 23-57).

Le lendemain, ayant trouvé quelques provisions de bouche[1] en se glissant à travers des décombres, ils réparèrent un peu leurs forces. Ensuite ils travaillèrent comme les autres à soulager les habitants échappés à la mort. Quelques citoyens, secourus par eux, leur donnèrent un aussi bon dîner qu'on le pouvait dans un tel désastre : il est vrai que le repas était triste ; les convives arrosaient leur pain de leurs larmes, mais Pangloss les consola, en les assurant que les choses ne pouvaient être autrement : «Car, dit-il, tout ceci est ce qu'il y a de mieux ; car s'il y a un volcan à Lisbonne, il ne pouvait être ailleurs ; car il est impossible que les choses ne soient pas où elles sont ; car tout est bien. »

Un petit homme noir, familier[2] de l'Inquisition[3], lequel était à côté de lui, prit poliment la parole et dit : «Apparemment que monsieur ne croit pas au péché originel ; car si tout est au mieux, il n'y a donc eu ni chute ni punition. – Je demande très humblement pardon à Votre Excellence, répondit Pangloss encore plus poliment, car la chute de l'homme et la malédiction entraient nécessairement dans le meilleur des mondes possibles. – Monsieur ne croit donc pas à la liberté ? dit le familier. – Votre Excellence m'excusera, dit Pangloss ; la liberté peut subsister avec la nécessité absolue : car il était nécessaire que nous fussions libres ; car enfin la volonté déterminée... » Pangloss était au milieu de sa phrase, quand le familier fit un signe de tête à son estafier[4] qui lui servait à boire du vin de Porto ou d'Oporto[5].

Notes

1. **provisions de bouche** : nourriture.
2. **familier** : ici, grade subalterne de l'Inquisition.
3. **Inquisition** : tribunal religieux créé dès 1198 par le pape Grégoire IX pour juger les crimes contre la religion, la magie ou la sorcellerie.
4. **estafier** : homme de main.
5. **Oporto** : autre nom du vin de Porto en usage au XVIIIe siècle.

CHAPITRE SIXIÈME

COMMENT ON FIT UN BEL AUTO-DA-FÉ[1] POUR EMPÊCHER LES TREMBLEMENTS DE TERRE, ET COMMENT CANDIDE FUT FESSÉ

Après le tremblement de terre qui avait détruit les trois quarts de Lisbonne, les sages du pays n'avaient pas trouvé un moyen plus efficace pour prévenir une ruine totale que de donner au peuple un bel auto-da-fé ; il était décidé par l'université de Coïmbre[2] que le spectacle de quelques personnes brûlées à petit feu, en grande cérémonie, est un secret infaillible[3] pour empêcher la terre de trembler.

On avait en conséquence saisi un Biscayen[4] convaincu[5] d'avoir épousé sa commère[6], et deux Portugais qui en mangeant un poulet en avaient arraché le lard[7] : on vint lier après le dîner le docteur Pangloss et son disciple Candide, l'un pour avoir parlé, et l'autre pour avoir écouté avec un air d'approbation : tous deux furent menés séparément dans des appartements d'une extrême fraîcheur, dans lesquels on n'était jamais incommodé du soleil ; huit jours après ils furent tous deux revêtus d'un *san-benito*[8], et on orna leurs têtes de mitres[9] de papier : la mitre et le san-benito de Candide étaient peints de flammes renversées et de diables qui n'avaient ni queues ni griffes ; mais les diables de Pangloss portaient griffes et queues,

Notes

1. **auto-da-fé** : *autodafé*, exécution, généralement par le feu, d'un jugement prononcé par l'Inquisition.
2. **Coïmbre** : ville portugaise réputée pour son université.
3. **infaillible** : absolument certain.
4. **Biscayen** : originaire du Nord du pays.
5. **convaincu** : ici, « accusé ».
6. **commère** : marraine d'un enfant dont le Biscayen est lui-même parrain.

Le parrain et la marraine d'un enfant ne pouvaient se marier sans une autorisation spéciale de l'Église.
7. **arraché le lard** : signe d'appartenance à la religion juive qui interdit la consommation de porc.
8. *san-benito* : vêtement rituel porté par les victimes de l'Inquisition.
9. **mitres** : coiffures pointues (portées par les évêques).

et les flammes étaient droites. Ils marchèrent en procession ainsi vêtus, et entendirent un sermon très pathétique[1], suivi d'une belle musique en faux-bourdon[2]. Candide fut fessé en cadence, pendant qu'on chantait; le Biscayen et les deux hommes qui n'avaient point voulu manger de lard furent brûlés, et Pangloss fut pendu, quoique ce ne soit pas la coutume. Le même jour, la terre trembla de nouveau avec un fracas épouvantable.

Candide, épouvanté, interdit[3], éperdu, tout sanglant, tout palpitant[4], se disait à lui-même : «Si c'est ici le meilleur des mondes possibles, que sont donc les autres? Passe encore si je n'étais que fessé, je l'ai été chez les Bulgares; mais, ô mon cher Pangloss! le plus grand des philosophes, faut-il vous avoir vu pendre, sans que je sache pourquoi! Ô mon cher anabaptiste! le meilleur des hommes, faut-il que vous ayez été noyé dans le port! Ô mademoiselle Cunégonde! la perle des filles, faut-il qu'on vous ait fendu le ventre!»

Il s'en retournait, se soutenant à peine, prêché, fessé, absous[5] et béni, lorsqu'une vieille l'aborda, et lui dit : «Mon fils, prenez courage, suivez-moi.»

Un « bel auto-da-fé »

Lecture analytique de l'extrait (pp. 31-32)

UNE TERRIBLE CÉRÉMONIE

❶ Relevez, dans le deuxième paragraphe, les éléments qui justifient l'expression « grande cérémonie » (l. 6, p. 31).

Les procédés comiques au service de la satire

• L'**absurde** consiste à créer un décalage en posant des liens logiques là où il n'y en a pas.
• L'**humour** consiste à traiter de manière légère un événement grave : ce qui déclenche le rire et peut provoquer l'indignation.
• L'**ironie** consiste à faire comprendre le contraire de ce que l'on écrit.

❷ Quels procédés de style permettent de raconter avec humour la terrible cérémonie ?

❸ En quoi consiste l'ironie dans ce chapitre ?

LES CIBLES DE LA PLUME VOLTAIRIENNE

❹ Comment les événements de ce chapitre ainsi que le discours de Candide (l. 28 à 36, p. 32) permettent-ils de remettre en cause l'optimisme ?

Les personnages dans un récit

Dans les récits, certains personnages sont individualisés et nommés ; d'autres sont simplement individualisés. D'autres encore, anonymes et sans visage, sont désignés par des noms collectifs (« les animaux malades de la peste », la foule…) ou par le pronom on.

❺ Classez les personnages (des groupes aux individus) en distinguant les responsables et les victimes de l'autodafé. Que remarquez-vous ?

Dans la tournure passive, le sujet subit l'action. C'est le complément d'agent qui effectue l'action. Il peut aussi ne pas y avoir de complément d'agent.

Le courrier a été distribué par le facteur.
 sujet passif complément d'agent
Le courrier a été distribué : pas de complément.

6 Relevez les tournures passives : qu'expriment-elles?

7 Commentez les énumérations d'adjectifs au début des troisième et quatrième paragraphes : comment ces adjectifs s'enchaînent-ils? Que dénoncent-ils?

8 En considérant les crimes, les châtiments et l'enjeu de la cérémonie, expliquez les reproches que Voltaire adresse à la justice de son temps.

9 Quelle image des rites religieux la description détaillée de la cérémonie donne-t-elle?

L'INJUSTICE DU SORT

10 À quel moment du conte la photographie fait-elle référence? Quelle sorte de mal est ici dénoncée?

11 Qu'apporte la mise en scène au texte initial?

Cf. p. 28.

CHAPITRE SEPTIÈME

Comment une vieille prit soin de Candide,
et comment il retrouva ce qu'il aimait

ne follows
ver

1 Candide ne prit point courage, mais il suivit la vieille dans
une masure[1] : elle lui donna un pot de pommade pour se frot-
ter, lui laissa à manger et à boire ; elle lui montra un petit lit as-
sez propre ; il y avait auprès du lit un habit complet. « Mangez,
5 buvez, dormez, lui dit-elle, et que Notre-Dame d'Atocha,
monseigneur saint Antoine de Padoue, et monseigneur saint
Jacques de Compostelle prennent soin de vous ! je reviendrai
demain. » Candide, toujours étonné de tout ce qu'il avait vu,
de tout ce qu'il avait souffert, et encore plus de la charité de la
10 vieille, voulut lui baiser la main. « Ce n'est pas ma main qu'il
faut baiser, dit la vieille ; je reviendrai demain. Frottez-vous de
pommade, mangez et dormez. »
 Candide, malgré tant de malheurs, mangea et dormit. Le
lendemain, la vieille lui apporte à déjeuner, visite son dos,
15 le frotte elle-même d'une autre pommade ; elle lui apporte
ensuite à dîner ; elle revient sur le soir, et apporte à souper.
Le surlendemain, elle fit encore les mêmes cérémonies. « Qui
êtes-vous ? lui disait toujours Candide ; qui vous a inspiré
tant de bonté ? quelles grâces puis-je vous rendre ? » La bonne
20 femme ne répondait jamais rien ; elle revint sur le soir, et n'ap-
porta point à souper : « Venez avec moi, dit-elle, et ne dites
mot. » Elle le prend sous le bras, et marche avec lui dans la
campagne environ un quart de mille : ils arrivent à une mai-
son isolée, entourée de jardins et de canaux. La vieille frappe à
25 une petite porte. On ouvre ; elle mène Candide, par un esca-
lier dérobé, dans un cabinet doré, le laisse sur un canapé de

Note

1. **masure** : maison délabrée.

brocart[1], referme la porte, et s'en va. Candide croyait rêver, et regardait toute sa vie comme un songe funeste[2], et le moment présent comme un songe agréable.

30 La vieille reparut bientôt; elle soutenait avec peine une femme tremblante, d'une taille majestueuse, brillante de pierreries, et couverte d'un voile. «Ôtez ce voile», dit la vieille à Candide. Le jeune homme approche; il lève le voile d'une main timide. Quel moment! quelle surprise! il croit voir ma-
35 demoiselle Cunégonde; il la voyait en effet, c'était elle-même. La force lui manque, il ne peut proférer une parole, il tombe à ses pieds, Cunégonde tombe sur le canapé. La vieille les accable[3] d'eaux spiritueuses[4], ils reprennent leurs sens, ils se parlent; ce sont d'abord des mots entrecoupés, des demandes
40 et des réponses qui se croisent, des soupirs, des larmes, des cris. La vieille leur recommande de faire moins de bruit, et les laisse en liberté. «Quoi! c'est vous, lui dit Candide; vous vivez! je vous retrouve en Portugal! On ne vous a donc pas violée? On ne vous a point fendu le ventre, comme le philo-
45 sophe Pangloss me l'avait assuré? – Si fait, dit la belle Cunégonde; mais on ne meurt pas toujours de ces deux accidents. – Mais votre père et votre mère ont-ils été tués? – Il n'est que trop vrai, dit Cunégonde en pleurant. – Et votre frère? – Mon frère a été tué aussi. – Et pourquoi êtes-vous en Portugal? et
50 comment avez-vous su que j'y étais et par quelle étrange aventure[5] m'avez-vous fait conduire dans cette maison? – Je vous dirai tout cela, répliqua la dame; mais il faut auparavant que vous m'appreniez tout ce qui vous est arrivé depuis le baiser innocent que vous me donnâtes, et les coups de pied que vous
55 reçûtes.»

Candide lui obéit avec un profond respect ; et quoiqu'il fût interdit, quoique sa voix fût faible et tremblante, quoique l'échine[1] lui fît encore un peu mal, il lui raconta de la manière la plus naïve[2] tout ce qu'il avait éprouvé[3] depuis le moment de leur séparation. Cunégonde levait les yeux au ciel ; elle donna des larmes à la mort du bon anabaptiste et de Pangloss ; après quoi elle parla en ces termes à Candide, qui ne perdait pas une parole, et qui la dévorait des yeux.

CHAPITRE HUITIÈME

HISTOIRE DE CUNÉGONDE

« J'étais dans mon lit et je dormais profondément, quand il plut au Ciel d'envoyer les Bulgares dans notre beau château de Thunder-ten-tronckh ; ils égorgèrent mon père et mon frère, et coupèrent ma mère par morceaux. Un grand Bulgare, haut de six pieds, voyant qu'à ce spectacle j'avais perdu connaissance, se mit à me violer ; cela me fit revenir, je repris mes sens[4], je criai, je me débattis, je mordis, j'égratignai, je voulais arracher les yeux à ce grand Bulgare, ne sachant pas que tout ce qui arrivait dans le château de mon père était une chose d'usage[5] : le brutal me donna un coup de couteau dans le flanc gauche dont je porte encore la marque. – Hélas ! j'espère bien la voir, dit le naïf Candide. – Vous la verrez, dit Cunégonde ; mais continuons. – Continuez », dit Candide.

Elle reprit ainsi le fil de son histoire : « Un capitaine bulgare entra, il me vit toute sanglante, et le soldat ne se dérangeait

Notes

1. échine : dos.
2. naïve : naturelle.
3. éprouvé : vécu (pour des épreuves).

4. repris mes sens : repris connaissance.
5. d'usage : ordinaire.

pas. Le capitaine se mit en colère du peu de respect que lui
témoignait ce brutal, et le tua sur mon corps. Ensuite il me
fit panser, et m'emmena prisonnière de guerre dans son quar-
tier[1]. Je blanchissais le peu de chemises qu'il avait, je faisais sa
20 cuisine ; il me trouvait fort jolie, il faut l'avouer ; et je ne nierai
pas qu'il ne fût très bien fait, et qu'il n'eût la peau blanche et
douce ; d'ailleurs peu d'esprit, peu de philosophie : on voyait
bien qu'il n'avait pas été élevé par le docteur Pangloss. Au bout
de trois mois, ayant perdu tout son argent, et s'étant dégoûté
25 de moi, il me vendit à un juif nommé don Issachar, qui trafi-
quait en Hollande et en Portugal, et qui aimait passionnément
les femmes. Ce juif s'attacha beaucoup à ma personne, mais il
ne pouvait en triompher ; je lui ai mieux résisté qu'au soldat
bulgare : une personne d'honneur peut être violée une fois,
30 mais sa vertu s'en affermit. Le juif, pour m'apprivoiser, me
mena dans cette maison de campagne que vous voyez. J'avais
cru jusque-là qu'il n'y avait rien sur la terre de si beau que le
château de Thunder-ten-tronckh ; j'ai été détrompée.

« Le grand inquisiteur[2] m'aperçut un jour à la messe ; il me
35 lorgna[3] beaucoup, et me fit dire qu'il avait à me parler pour
des affaires secrètes. Je fus conduite à son palais ; je lui appris
ma naissance ; il me représenta combien il était au-dessous de
mon rang d'appartenir à un israélite. On proposa de sa part à
don Issachar de me céder à Monseigneur. Don Issachar, qui
40 est le banquier de la Cour, et homme de crédit[4], n'en vou-
lut rien faire. L'inquisiteur le menaça d'un auto-da-fé. Enfin
mon juif, intimidé[5], conclut un marché par lequel la maison
et moi leur appartiendraient à tous deux en commun ; que le

Notes

1. **quartier** : ici, « caserne » ou « tente ».
2. **grand inquisiteur** : chef de l'Inquisition.
3. **lorgna** : regarda avec désir.

4. **homme de crédit** : homme influent ;
l'expression peut aussi être comprise de
façon littérale : un homme qui prête de
l'argent.
5. **intimidé** : effrayé.

juif aurait pour lui les lundis, mercredis et le jour du sabbat[1],
et que l'inquisiteur aurait les autres jours de la semaine. Il y
a six mois que cette convention[2] subsiste. Ce n'a pas été sans
querelles ; car souvent il a été indécis si la nuit du samedi au
dimanche appartenait à l'ancienne loi ou à la nouvelle[3]. Pour
moi, j'ai résisté jusqu'à présent à toutes les deux ; et je crois que
c'est pour cette raison que j'ai toujours été aimée.

« Enfin, pour détourner le fléau des tremblements de terre,
et pour intimider don Issachar, il plut à monseigneur l'inqui-
siteur de célébrer un auto-da-fé. Il me fit l'honneur de m'y
inviter. Je fus très bien placée ; on servit aux dames des rafraî-
chissements[4] entre la messe et l'exécution. Je fus, à la vérité,
saisie d'horreur en voyant brûler ces deux juifs et cet honnête
Biscayen qui avait épousé sa commère ; mais quelle fut ma
surprise, mon effroi, mon trouble, quand je vis, dans un san-
benito et sous une mitre, une figure qui ressemblait à celle de
Pangloss ! Je me frottai les yeux, je regardai attentivement, je
le vis pendre ; je tombai en faiblesse. À peine reprenais-je mes
sens que je vous vis dépouillé tout nu ; ce fut là le comble de
l'horreur, de la consternation, de la douleur, du désespoir. Je
vous dirai, avec vérité, que votre peau est encore plus blanche,
et d'un incarnat[5] plus parfait, que celle de mon capitaine des
Bulgares. Cette vue redoubla tous les sentiments qui m'acca-
blaient, qui me dévoraient. Je m'écriai, je voulus dire : "Arrê-
tez, barbares !" Mais la voix me manqua, et mes cris auraient
été inutiles. Quand vous eûtes été bien fessé : "Comment se
peut-il faire, disais-je, que l'aimable Candide et le sage Pan-
gloss se trouvent à Lisbonne, l'un pour recevoir cent coups de

Notes

1. **jour du sabbat** : pour les juifs, jour de repos consacré à Dieu, du vendredi soir au samedi soir.
2. **cette convention** : cet accord.
3. On devine ici une allusion à l'Ancien Testament (« l'ancienne loi ») et au Nouveau Testament (« la nouvelle »).
4. **rafraîchissements** : boissons et nourritures légères.
5. **incarnat** : teint rose vif.

fouet, et l'autre pour être pendu par l'ordre de monseigneur l'inquisiteur, dont je suis la bien-aimée ? Pangloss m'a donc bien cruellement trompée, quand il me disait que tout va le mieux du monde."

«Agitée, éperdue[1], tantôt hors de moi-même, et tantôt prête de[2] mourir de faiblesse, j'avais la tête remplie du massacre de mon père, de ma mère, de mon frère, de l'insolence de mon vilain soldat bulgare, du coup de couteau qu'il me donna, de ma servitude[3], de mon métier de cuisinière, de mon capitaine bulgare, de mon vilain don Issachar, de mon abominable inquisiteur, de la pendaison du docteur Pangloss, de ce grand *miserere* en faux-bourdon[4] pendant lequel on vous fessait, et surtout du baiser que je vous avais donné derrière un paravent, le jour que je vous avais vu pour la dernière fois. Je louai Dieu, qui vous ramenait à moi par tant d'épreuves. Je recommandai à ma vieille d'avoir soin de vous, et de vous amener ici dès qu'elle le pourrait. Elle a très bien exécuté ma commission ; j'ai goûté le plaisir inexprimable de vous revoir, de vous entendre, de vous parler. Vous devez avoir une faim dévorante ; j'ai grand appétit ; commençons par souper. »

Les voilà qui se mettent tous deux à table ; et, après le souper, ils se replacent sur ce beau canapé dont on a déjà parlé ; ils y étaient quand le signor don Issachar, l'un des maîtres de la maison, arriva. C'était le jour du sabbat. Il venait jouir de ses droits[5], et expliquer son tendre amour.

Notes

1. **éperdue** : affolée.
2. **prête de** : sur le point de.
3. **ma servitude** : mon esclavage.
4. *miserere* **en faux-bourdon** : chant religieux.
5. **jouir de ses droits** : euphémisme pour « abuser de Cunégonde ».

CHAPITRE NEUVIÈME

Ce qui advint de Cunégonde, de Candide, du grand inquisiteur, et d'un juif

1 Cet Issachar était le plus colérique Hébreu qu'on eût vu dans Israël, depuis la captivité en Babylone[1]. «Quoi! dit-il, chienne de Galiléenne[2], ce n'est pas assez de monsieur l'inquisiteur? Il faut que ce coquin partage aussi avec moi?» En disant cela

5 il tire un long poignard dont il était toujours pourvu, et, ne croyant pas que son adverse partie[3] eût des armes, il se jette sur Candide; mais notre bon Vestphalien avait reçu une belle épée de la vieille avec l'habit complet. Il tire son épée, quoiqu'il eût les mœurs fort douces, et vous étend l'israélite roide[4] mort sur

10 le carreau, aux pieds de la belle Cunégonde.

«Sainte Vierge! s'écria-t-elle, qu'allons-nous devenir? Un homme tué chez moi! si la justice vient, nous sommes perdus. – Si Pangloss n'avait pas été pendu, dit Candide, il nous donnerait un bon conseil dans cette extrémité[5], car c'était un

15 grand philosophe. À son défaut, consultons la vieille.» Elle était fort prudente, et commençait à dire son avis quand une autre petite porte s'ouvrit. Il était une heure après minuit, c'était le commencement du dimanche. Ce jour appartenait à monseigneur l'inquisiteur. Il entre et voit le fessé Candide,

20 l'épée à la main, un mort étendu par terre, Cunégonde effarée, et la vieille donnant des conseils.

Voici dans ce moment ce qui se passa dans l'âme de Candide, et comment il raisonna : «Si ce saint homme appelle du

Notes

1. **en Babylone** : allusion à la captivité des Hébreux au VIᵉ siècle av. J.-C.
2. **Galiléenne** : pour les Juifs, disciple de Jésus (qui était galiléen).

3. **adverse partie** : partie adverse, celle qui plaide contre dans un procès.
4. **roide** : raide.
5. **cette extrémité** : cette situation extrême.

secours, il me fera infailliblement brûler, il pourra en faire
autant de Cunégonde ; il m'a fait fouetter impitoyablement ; il
est mon rival ; je suis en train de tuer ; il n'y a pas à balancer[1]. »
Ce raisonnement fut net et rapide ; et, sans donner le temps
à l'inquisiteur de revenir de sa surprise, il le perce d'outre en
outre[2], et le jette à côté du juif. « En voici bien d'une autre, dit
Cunégonde ; il n'y a plus de rémission[3] ; nous sommes excom-
muniés[4], notre dernière heure est venue ! Comment avez-vous
fait, vous qui êtes né si doux, pour tuer en deux minutes un
juif et un prélat[5] ? – Ma belle demoiselle, répondit Candide,
quand on est amoureux, jaloux, et fouetté par l'Inquisition, on
ne se connaît plus. »

 La vieille prit alors la parole, et dit : « Il y a trois chevaux
andalous dans l'écurie, avec leurs selles et leurs brides : que
le brave Candide les prépare ; madame a des moyadors[6] et des
diamants, montons vite à cheval, quoique je ne puisse me tenir
que sur une fesse, et allons à <u>Cadix</u> ; il fait le plus beau temps
du monde, et c'est un grand plaisir de voyager pendant la fraî-
cheur de la nuit. »

 Aussitôt Candide selle les trois chevaux. Cunégonde, la
vieille, et lui, font trente milles[7] d'une traite. Pendant qu'ils
s'éloignaient, la Sainte Hermandad[8] arrive dans la maison ; on
enterre monseigneur dans une belle église et on jette Issachar
à la voirie[9].

 Candide, Cunégonde et la vieille, étaient déjà dans la petite
ville d'Avacéna, au milieu des montagnes de la Sierra Morena ;
et ils parlaient ainsi dans un cabaret.

1. **balancer** : hésiter.
2. **d'outre en outre** : de part en part.
3. **rémission** : pardon des péchés.
4. **excommuniés** : exclus des sacrements
catholiques.
5. **prélat** : prêtre de haut rang.
6. **moyadors** : pièces d'or du Portugal.
7. **trente milles** : 50 km environ.
8. **Sainte Hermandad** : milice.
9. **voirie** : lieu où l'on dépose les ordures.

CHAPITRE DIXIÈME

Dans quelle détresse Candide, Cunégonde et la vieille arrivent à Cadix, et de leur embarquement

1 « Qui a donc pu me voler mes pistoles¹ et mes diamants ?
disait en pleurant Cunégonde ; de quoi vivrons-nous ? comment ferons-nous ? où trouver des inquisiteurs et des juifs qui
m'en donnent d'autres ? – Hélas ! dit la vieille, je soupçonne
5 fort un révérend père cordelier qui coucha hier dans la même
auberge que nous à Badajos ; Dieu me garde de faire un jugement téméraire² ! mais il entra deux fois dans notre chambre,
et il partit longtemps avant nous. – Hélas ! dit Candide, le bon
Pangloss m'avait souvent prouvé que les biens de la terre sont
10 communs à tous les hommes, que chacun y a un droit égal.
Ce cordelier devait bien, suivant ces principes, nous laisser de
quoi achever notre voyage. Il ne vous reste donc rien du tout,
ma belle Cunégonde ? – Pas un maravédis³, dit-elle. – Quel
parti prendre ? dit Candide. – Vendons un des chevaux, dit la
15 vieille ; je monterai en croupe derrière mademoiselle, quoique
je ne puisse me tenir que sur une fesse, et nous arriverons à
Cadix. »

Il y avait dans la même hôtellerie⁴ un prieur⁵ de bénédictins⁶ ; il acheta le cheval bon marché. Candide, Cunégonde
20 et la vieille passèrent par Lucena, par Chillas, par Lebrixa, et
arrivèrent enfin à Cadix. On y équipait une flotte, et on y
assemblait des troupes pour mettre à la raison⁷ les révérends

Notes

1. **pistoles** : pièces d'or utilisées en Europe.
2. **jugement téméraire** : jugement sans preuve.
3. **maravédis** : piécette espagnole.

4. **hôtellerie** : auberge.
5. **prieur** : moine de haut rang.
6. **bénédictins** : moines suivant la règle de saint Benoît.
7. **mettre à la raison** : soumettre.

pères jésuites[1] du Paraguai, qu'on accusait d'avoir fait révolter une de leurs hordes[2] contre les rois d'Espagne et de Portugal, auprès de la ville du Saint-Sacrement[3]. Candide, ayant servi chez les Bulgares, fit l'exercice bulgarien devant le général de la petite armée avec tant de grâce, de célérité[4], d'adresse, de fierté, d'agilité, qu'on lui donna une compagnie d'infanterie à commander. Le voilà capitaine ; il s'embarque avec mademoiselle Cunégonde, la vieille, deux valets, et les deux chevaux andalous qui avaient appartenu à monsieur le grand inquisiteur de Portugal.

Pendant toute la traversée ils raisonnèrent beaucoup sur la philosophie du pauvre Pangloss. « Nous allons dans un autre univers, disait Candide ; c'est dans celui-là, sans doute, que tout est bien. Car il faut avouer qu'on pourrait gémir un peu de ce qui se passe dans le nôtre en physique et en morale[5]. Je vous aime de tout mon cœur, disait Cunégonde ; mais j'ai encore l'âme tout effarouchée[6] de ce que j'ai vu, de ce que j'ai éprouvé. — Tout ira bien, répliquait Candide ; la mer de ce nouveau monde vaut déjà mieux que les mers de notre Europe ; elle est plus calme, les vents plus constants. C'est certainement le nouveau monde qui est le meilleur des univers possibles. — Dieu le veuille ! disait Cunégonde ; mais j'ai été si horriblement malheureuse dans le mien que mon cœur est presque fermé à l'espérance. — Vous vous plaignez, leur dit la vieille ; hélas ! vous n'avez pas éprouvé des infortunes[7] telles que les miennes. » Cunégonde se mit presque à rire, et trouva cette bonne femme fort plaisante[8] de prétendre être plus mal-

Notes

1. Les jésuites, refusant l'autorité espagnole, voulaient constituer des territoires indépendants.
2. **hordes** : troupes indisciplinées.
3. **Saint-Sacrement** : ville proche de Buenos Aires.
4. **célérité** : rapidité.

5. **en physique et en morale** : distinction traditionnelle en philosophie ; on la retrouve chez Leibniz.
6. **effarouchée** : effrayée.
7. **infortunes** : malheurs.
8. **plaisante** : amusante.

heureuse qu'elle. «Hélas! lui dit-elle, ma bonne, à moins que vous n'ayez été violée par deux Bulgares, que vous n'ayez reçu deux coups de couteau dans le ventre, qu'on n'ait démoli deux de vos châteaux, qu'on n'ait égorgé à vos yeux deux mères et deux pères, et que vous n'ayez vu deux de vos amants fouettés dans un auto-da-fé, je ne vois pas que vous puissiez l'emporter sur moi; ajoutez que je suis née baronne avec soixante et douze quartiers[1], et que j'ai été cuisinière. – Mademoiselle, répondit la vieille, vous ne savez pas quelle est ma naissance; et si je vous montrais mon derrière, vous ne parleriez pas comme vous faites, et vous suspendriez votre jugement.» Ce discours fit naître une extrême curiosité dans l'esprit de Cunégonde et de Candide. La vieille leur parla en ces termes.

CHAPITRE ONZIÈME

Histoire de la vieille

«Je n'ai pas eu toujours les yeux éraillés[2] et bordés d'écarlate[3]; mon nez n'a pas toujours touché à mon menton, et je n'ai pas toujours été servante. Je suis la fille du pape Urbain X[4] et de la princesse de Palestrine[5]. On m'éleva jusqu'à quatorze ans dans un palais auquel tous les châteaux de vos barons allemands n'auraient pas servi d'écurie; et une de mes robes valait mieux que toutes les magnificences de la Vestphalie. Je croissais[6] en beauté, en grâces, en talents, au milieu des plaisirs, des respects et des espérances. J'inspirais déjà de l'amour;

Notes

1. Il s'agit des quartiers de noblesse; Cunégonde est aussi attachée à son rang social que son père le baron (chap. 1).
2. **éraillés** : injectés de sang.
3. **écarlate** : rouge vif.
4. **Urbain X** : pape imaginé par Voltaire.
5. **Palestrine** : principauté proche de Rome appartenant à la famille du pape Urbain VII (pape de 1623 à 1648).
6. **croissais** : grandissais.

ma gorge[1] se formait; et quelle gorge! blanche, ferme, taillée
comme celle de la Vénus[2] de Médicis; et quels yeux! quelles
paupières! quels sourcils noirs! quelles flammes brillaient dans
mes deux prunelles, et effaçaient la scintillation des étoiles,
comme me disaient les poètes du quartier. Les femmes qui
m'habillaient et qui me déshabillaient tombaient en extase en
me regardant par-devant et par-derrière; et tous les hommes
auraient voulu être à leur place.

«Je fus fiancée à un prince souverain de Massa-Carrara[3].
Quel prince! aussi beau que moi, pétri de douceur et d'agré-
ments, brillant d'esprit et brûlant d'amour. Je l'aimais comme
on aime pour la première fois, avec idolâtrie, avec emporte-
ment[4]. Les noces furent préparées. C'était une pompe[5], une
magnificence inouïe[6]; c'étaient des fêtes, des carrousels[7], des
opéra-buffa[8] continuels; et toute l'Italie fit pour moi des son-
nets[9] dont il n'y eut pas un seul de passable[10]. Je touchais au
moment de mon bonheur, quand une vieille marquise qui
avait été maîtresse de mon prince l'invita à prendre du cho-
colat chez elle. Il mourut en moins de deux heures avec des
convulsions épouvantables. Mais ce n'est qu'une bagatelle[11].
Ma mère, au désespoir, et bien moins affligée[12] que moi, vou-
lut s'arracher pour quelque temps à un séjour si funeste. Elle
avait une très belle terre auprès de Gaïète[13]. Nous nous em-
barquâmes sur une galère[14] du pays, dorée comme l'autel de
Saint-Pierre de Rome[15]. Voilà qu'un corsaire de Salé[16] fond

35 sur nous et nous aborde[1] ; nos soldats se défendirent comme des soldats du pape : ils se mirent tous à genoux en jetant leurs armes, et en demandant au corsaire une absolution *in articulo mortis*[2].

«Aussitôt on les dépouilla nus comme des singes, et ma mère
40 aussi, nos filles d'honneur aussi, et moi aussi. C'est une chose admirable que la diligence[3] avec laquelle ces messieurs déshabillent le monde. Mais ce qui me surprit davantage, c'est qu'ils nous mirent à tous le doigt dans un endroit où nous autres femmes nous ne nous laissons mettre d'ordinaire que
45 des canules[4]. Cette cérémonie me paraissait bien étrange : voilà comme on juge de tout quand on n'est pas sorti de son pays. J'appris bientôt que c'était pour voir si nous n'avions pas caché là quelques diamants : c'est un usage établi de temps immémorial[5] parmi les nations policées[6] qui courent sur mer. J'ai su
50 que messieurs les religieux chevaliers de Malte[7] n'y manquent jamais quand ils prennent des Turcs et des Turques ; c'est une loi du droit des gens à laquelle on n'a jamais dérogé[8].

«Je ne vous dirai point combien il est dur pour une jeune princesse d'être menée esclave à Maroc[9] avec sa mère. Vous
55 concevez assez tout ce que nous eûmes à souffrir dans le vaisseau corsaire. Ma mère était encore très belle ; nos filles d'honneur, nos simples femmes de chambre, avaient plus de charmes qu'on n'en peut trouver dans toute l'Afrique. Pour moi, j'étais ravissante, j'étais la beauté, la grâce même, et j'étais pucelle. Je
60 ne le fus pas longtemps : cette fleur, qui avait été réservée pour le beau prince de Massa-Carrara, me fut ravie par le capitaine

corsaire; c'était un nègre[1] abominable[2], qui croyait encore
me faire beaucoup d'honneur. Certes il fallait que madame la
princesse de Palestrine et moi fussions bien fortes pour résis-
65 ter à tout ce que nous éprouvâmes[3] jusqu'à notre arrivée à
Maroc. Mais, passons; ce sont des choses si communes qu'elles
ne valent pas la peine qu'on en parle.

«Maroc nageait dans le sang quand nous arrivâmes. Cin-
quante fils de l'empereur Mulei-Ismaël[4] avaient chacun leur
70 parti : ce qui produisait en effet cinquante guerres civiles, de
noirs contre noirs, de noirs contre basanés, de basanés contre
basanés, de mulâtres contre mulâtres : c'était un carnage conti-
nuel dans toute l'étendue de l'empire.

«À peine fûmes-nous débarquées que des noirs d'une fac-
75 tion[5] ennemie de celle de mon corsaire se présentèrent pour
lui enlever son butin. Nous étions, après les diamants et l'or, ce
qu'il avait de plus précieux. Je fus témoin d'un combat tel que
vous n'en voyez jamais dans vos climats d'Europe. Les peuples
septentrionaux[6] n'ont pas le sang assez ardent. Ils n'ont pas la
80 rage des femmes au point où elle est commune en Afrique. Il
semble que vos Européens aient du lait dans les veines; c'est
du vitriol[7], c'est du feu qui coule dans celles des habitants du
mont Atlas[8] et des pays voisins. On combattit avec la fureur
des lions, des tigres et des serpents de la contrée, pour savoir
85 à qui nous aurait. Un Maure[9] saisit ma mère par le bras droit,
le lieutenant de mon capitaine la retint par le bras gauche;
un soldat maure la prit par une jambe, un de nos pirates la
tenait par l'autre. Nos filles se trouvèrent presque toutes en un
moment tirées ainsi à quatre soldats. Mon capitaine me tenait

Notes

1. Le terme n'a aucune connotation péjorative.
2. **abominable** : laid (sens physique).
3. **éprouvâmes** : endurâmes.
4. Mulei-Ismaël régna de 1672 à 1727.
5. **une faction** : un groupe armé.
6. **septentrionaux** : du Nord.
7. **du vitriol** : de l'acide sulfurique.
8. **mont Atlas** : massif montagneux de l'Afrique du Nord.
9. **Maure** : musulman.

Candide ou l'Optimisme de Voltaire

90 cachée derrière lui. Il avait le cimeterre[1] au poing, et tuait tout
ce qui s'opposait à sa rage. Enfin je vis toutes nos Italiennes et
ma mère déchirées, coupées, massacrées par les monstres qui
se les disputaient. Les captifs, mes compagnons, ceux qui les
avaient pris, soldats, matelots, noirs, basanés, blancs, mulâtres[2],
95 et enfin mon capitaine, tout fut tué, et je demeurai mourante
sur un tas de morts. Des scènes pareilles se passaient, comme
on sait, dans l'étendue de plus de trois cents lieues, sans qu'on
manquât aux cinq prières par jour ordonnées par Mahomet.

«Je me débarrassai avec beaucoup de peine de la foule de
100 tant de cadavres sanglants entassés, et je me traînai sous un
grand oranger au bord d'un ruisseau voisin ; j'y tombai d'ef-
froi, de lassitude, d'horreur, de désespoir et de faim. Bientôt
après, mes sens accablés se livrèrent à un sommeil qui tenait
plus de l'évanouissement que du repos. J'étais dans cet état de
105 faiblesse et d'insensibilité[3], entre la mort et la vie, quand je
me sentis pressée de quelque chose qui s'agitait sur mon corps ;
j'ouvris les yeux, je vis un homme blanc et de bonne mine[4]
qui soupirait, et qui disait entre ses dents : *O che sciagura d'essere*
senza c...! [5]

CHAPITRE DOUZIÈME

SUITES DES MALHEURS DE LA VIEILLE

1 «Étonnée et ravie d'entendre la langue de ma patrie, et non
moins surprise des paroles que proférait[6] cet homme, je lui

Notes

1. **cimeterre** : sabre oriental.
2. **mulâtres** : métis.
3. **insensibilité** : absence de sensations.
4. **de bonne mine** : ayant bon aspect.

5. *O che sciagura d'essere senza c...!* :
dans l'édition de 1759, on lit : *O che*
sciagura d'essere senza colgioni! « Oh,
quel malheur d'être sans couilles ! »
6. **proférait** : prononçait.

répondis qu'il y avait de plus grands malheurs que celui dont il se plaignait. Je l'instruisis en peu de mots des horreurs que j'avais essuyées[1], et je retombai en faiblesse. Il m'emporta dans une maison voisine, me fit mettre au lit, me fit donner à manger, me servit, me consola, me flatta, me dit qu'il n'avait rien vu de si beau que moi, et que jamais il n'avait tant regretté ce que personne ne pouvait lui rendre. "Je suis né à Naples, me dit-il; on y chaponne[2] deux ou trois mille enfants tous les ans; les uns en meurent, les autres acquièrent une voix plus belle que celle des femmes[3], les autres vont gouverner des États. On me fit cette opération avec un très grand succès, et j'ai été musicien de la chapelle de madame la princesse de Palestrine. – De ma mère! m'écriai-je. – De votre mère! s'écria-t-il en pleurant; quoi! vous seriez cette jeune princesse que j'ai élevée jusqu'à l'âge de six ans, et qui promettait déjà d'être aussi belle que vous êtes? – C'est moi-même; ma mère est à quatre cents pas d'ici, coupée en quartiers sous un tas de morts…"

«Je lui contai tout ce qui m'était arrivé; il me conta aussi ses aventures, et m'apprit comment il avait été envoyé chez le roi de Maroc par une puissance chrétienne[4], pour conclure avec ce monarque un traité par lequel on lui fournirait de la poudre, des canons et des vaisseaux, pour l'aider à exterminer le commerce des autres chrétiens. "Ma mission est faite, dit cet honnête eunuque[5]; je vais m'embarquer à Ceuta[6], et je vous ramènerai en Italie. *Ma che sciagura d'essere senza c… !*"

«Je le remerciai avec des larmes d'attendrissement; et au lieu de me mener en Italie, il me conduisit à Alger, et me vendit au dey[7] de cette province. À peine fus-je vendue que cette peste

Notes

1. **essuyées** : subies.
2. **chaponne** : castre.
3. Ces chanteurs étaient très appréciés en Italie.
4. Il s'agit d'une allusion à la guerre de Succession d'Espagne (1701-1714).
5. **eunuque** : homme castré chargé de la garde du harem.
6. **Ceuta** : port espagnol situé au Maroc, dans le détroit de Gibraltar.
7. **dey** : gouverneur d'Alger.

qui a fait le tour de l'Afrique, de l'Asie et de l'Europe, se déclara dans Alger avec fureur. Vous avez vu des tremblements de terre : mais, mademoiselle, avez-vous jamais eu la peste ? – Jamais, répondit la baronne.

35 – Si vous l'aviez eue, reprit la vieille, vous avoueriez qu'elle est bien au-dessus d'un tremblement de terre. Elle est fort commune en Afrique ; j'en fus attaquée. Figurez-vous quelle situation pour la fille d'un pape âgée de quinze ans, qui en trois mois de temps avait éprouvé la pauvreté, l'esclavage, avait
40 été violée presque tous les jours, avait vu couper sa mère en quatre, avait essuyé la faim et la guerre et mourait pestiférée[1] dans Alger. Je n'en mourus pourtant pas. Mais mon eunuque et le dey, et presque tout le sérail[2] d'Alger périrent.

« Quand les premiers ravages de cette épouvantable peste
45 furent passés, on vendit les esclaves du dey. Un marchand m'acheta, et me mena à Tunis ; il me vendit à un autre marchand, qui me revendit à Tripoli ; de Tripoli je fus revendue à Alexandrie, d'Alexandrie revendue à Smyrne[3], de Smyrne à Constantinople[4]. J'appartins enfin à un aga[5] des janissaires[6],
50 qui fut bientôt commandé pour aller défendre Azof[7] contre les Russes, qui l'assiégeaient.

« L'aga, qui était un très galant homme, mena avec lui tout son sérail, et nous logea dans un petit fort sur les Palus-Méotides[8], gardé par deux eunuques noirs et vingt soldats.
55 On tua prodigieusement de Russes, mais ils nous le rendirent bien. Azof fut mis à feu et à sang, et on ne pardonna ni au sexe, ni à l'âge ; il ne resta que notre petit fort ; les ennemis vou-

1. **pestiférée** : victime de la peste.
2. **sérail** : palais.
3. **Smyrne** : actuelle Izmir, port de Turquie.
4. **Constantinople** : Byzance, actuelle Istanbul en Turquie.
5. **aga** : général en chef.

6. **janissaires** : gardes du sultan ; à l'origine, ce sont des prisonniers chrétiens.
7. **Azof** : ville russe reprise aux Turcs.
8. **Palus-Méotides** : actuelle mer d'Azof bordée par la Russie et l'Ukraine.

lurent nous prendre par famine. Les vingt janissaires avaient juré de ne se jamais rendre. Les extrémités de la faim où ils
60 furent réduits les contraignirent à manger nos deux eunuques, de peur de violer leur serment. Au bout de quelques jours ils résolurent de manger les femmes.

« Nous avions un iman[1] très pieux[2] et très compatissant, qui leur fit un beau sermon par lequel il leur persuada de ne nous pas
65 tuer tout à fait. "Coupez, dit-il, seulement une fesse à chacune de ces dames, vous ferez très bonne chère[3] ; s'il faut y revenir, vous en aurez encore autant dans quelques jours ; le Ciel vous saura gré[4] d'une action si charitable, et vous serez secourus."

« Il avait beaucoup d'éloquence ; il les persuada. On nous
70 fit cette horrible opération. L'iman nous appliqua le même baume qu'on met aux enfants qu'on vient de circoncire. Nous étions toutes à la mort.

« À peine les janissaires eurent-ils fait le repas que nous leur avions fourni, que les Russes arrivent sur des bateaux plats : il ne
75 réchappa pas un janissaire. Les Russes ne firent aucune attention à l'état où nous étions. Il y a partout des chirurgiens français : un d'eux, qui était fort adroit, prit soin de nous ; il nous guérit, et je me souviendrai toute ma vie que, quand mes plaies furent bien fermées, il me fit des propositions. Au reste, il nous dit à
80 toutes de nous consoler ; il nous assura que dans plusieurs sièges pareille chose était arrivée, et que c'était la loi de la guerre.

« Dès que mes compagnons purent marcher, on les fit aller à Moscou. J'échus en partage[5] à un Boïard[6] qui me fit sa jardinière, et qui me donnait vingt coups de fouet par jour ; mais
85 ce seigneur ayant été roué[7] au bout de deux ans avec une trentaine de Boïards pour quelque tracasserie de Cour, je profitai

Notes

1. **iman** : imam, chef religieux musulman.
2. **pieux** : fidèle à sa religion.
3. **ferez très bonne chère** : ferez un très bon repas.
4. **saura gré** : sera reconnaissant.

5. **J'échus en partage** : je fus donnée par hasard.
6. **Boïard** : noble russe.
7. **roué** : à l'origine, soumis au supplice de la roue, battu.

de cette aventure : je m'enfuis ; je traversai toute la Russie ; je fus longtemps servante de cabaret à Riga, puis à Rostock, à Vismar, à Leipsick, à Cassel, à Utrecht, à Leyde, à La Haye,
90 à Rotterdam : j'ai vieilli dans la misère et dans l'opprobre[1], n'ayant que la moitié d'un derrière, me souvenant toujours que j'étais fille d'un pape : je voulus cent fois me tuer, mais j'aimais encore la vie. Cette faiblesse ridicule est peut-être un de nos penchants les plus funestes : car y a-t-il rien de plus sot que de
95 vouloir porter continuellement un fardeau qu'on veut toujours jeter par terre ? d'avoir son être en horreur, et de tenir à son être ? Enfin de caresser le serpent qui nous dévore, jusqu'à ce qu'il nous ait mangé le cœur ?

« J'ai vu dans les pays que le sort m'a fait parcourir, et dans les
100 cabarets où j'ai servi, un nombre prodigieux de personnes qui avaient leur existence en exécration[2] ; mais je n'en ai vu que douze qui aient mis volontairement fin à leur misère : trois nègres, quatre Anglais, quatre Genevois, et un professeur allemand nommé Robeck[3]. J'ai fini par être servante chez le juif
105 don Issachar ; il me mit auprès de vous, ma belle demoiselle ; je me suis attachée à votre destinée, et j'ai été plus occupée de vos aventures que des miennes. Je ne vous aurais même jamais parlé de mes malheurs si vous ne m'aviez pas un peu piquée[4], et s'il n'était d'usage, dans un vaisseau, de conter des histoires
110 pour se désennuyer[5]. Enfin, mademoiselle, j'ai de l'expérience, je connais le monde ; donnez-vous un plaisir, engagez[6] chaque passager à vous conter son histoire, et s'il s'en trouve un seul qui n'ait souvent maudit sa vie, qui ne se soit souvent dit à lui-même qu'il était le plus malheureux des hommes, jetez-moi
115 dans la mer la tête la première. »

Notes

1. l'opprobre : le déshonneur.
2. en exécration : en horreur.
3. Jean Robeck fit l'apologie du suicide et se suicida.

4. piquée : poussée en insistant.
5. se désennuyer : se distraire.
6. engagez : invitez.

CHAPITRE TREIZIÈME

COMMENT CANDIDE FUT OBLIGÉ DE SE SÉPARER DE LA BELLE CUNÉGONDE ET DE LA VIEILLE

1 La belle Cunégonde, ayant entendu l'histoire de la vieille, lui fit toutes les politesses qu'on devait à une personne de son rang et de son mérite. Elle accepta la proposition ; elle engagea tous les passagers, l'un après l'autre, à lui conter leurs aven-
5 tures. Candide et elle avouèrent que la vieille avait raison. « C'est bien dommage, disait Candide, que le sage Pangloss ait été pendu contre la coutume dans un auto-da-fé ; il nous dirait des choses admirables sur le mal physique et sur le mal moral qui couvrent la terre et la mer, et je me sentirais assez de force
10 pour oser lui faire respectueusement quelques objections. »

À mesure que chacun racontait son histoire, le vaisseau avançait. On aborda dans Buenos-Ayres[1]. Cunégonde, le capitaine Candide et la vieille allèrent chez le gouverneur don Fernando d'Ibaraa, y Figueora, y Mascarenes, y Lampourdos, y Souza.
15 Ce seigneur avait une fierté convenable à un homme qui portait tant de noms. Il parlait aux hommes avec le dédain[2] le plus noble, portant le nez si haut, élevant si impitoyablement la voix, prenant un ton si imposant, affectant une démarche si altière[3], que tous ceux qui le saluaient étaient tentés de le
20 battre. Il aimait les femmes à la fureur. Cunégonde lui parut ce qu'il avait jamais vu de plus beau. La première chose qu'il fit fut de demander si elle n'était point la femme du capitaine. L'air dont il fit cette question alarma Candide : il n'osa pas dire qu'elle était sa femme, parce qu'en effet elle ne l'était
25 point ; il n'osait pas dire que c'était sa sœur, parce qu'elle ne

1. **Buenos-Ayres** : Buenos Aires, capitale de l'Argentine.

2. **dédain** : mépris.
3. **altière** : hautaine.

l'était pas non plus ; et quoique ce mensonge officieux eût été autrefois très à la mode chez les Anciens[1], et qu'il pût être utile aux Modernes, son âme était trop pure pour trahir la vérité. «Mademoiselle Cunégonde, dit-il, doit me faire l'honneur de
30 m'épouser et nous supplions Votre Excellence de daigner faire notre noce.»

Don Fernando d'Ibaraa, y Figueora, y Mascarenes, y Lampourdos, y Souza, relevant sa moustache, sourit amèrement, et ordonna au capitaine Candide d'aller faire la revue de sa com-
35 pagnie[2]. Candide obéit ; le gouverneur demeura avec mademoiselle Cunégonde. Il lui déclara sa passion, lui protesta[3] que le lendemain il l'épouserait à la face de l'Église, ou autrement, ainsi qu'il plairait à ses charmes. Cunégonde lui demanda un quart d'heure pour se recueillir, pour consulter la vieille, et
40 pour se déterminer.

La vieille dit à Cunégonde : «Mademoiselle, vous avez soixante et douze quartiers et pas une obole[4] ; il ne tient qu'à vous d'être la femme du plus grand seigneur de l'Amérique méridionale, qui a une très belle moustache ; est-ce à vous
45 de vous piquer[5] d'une fidélité à toute épreuve ? Vous avez été violée par les Bulgares ; un juif et un inquisiteur ont eu vos bonnes grâces : les malheurs donnent des droits. J'avoue que, si j'étais à votre place, je ne ferais aucun scrupule d'épouser monsieur le gouverneur, et de faire la fortune de monsieur le
50 capitaine Candide.» Tandis que la vieille parlait avec toute la prudence que l'âge et l'expérience donnent, on vit entrer dans le port un petit vaisseau ; il portait un alcade[6] et des alguazils[7], et voici ce qui était arrivé.

Notes

1. **chez les Anciens** : allusion biblique à Abraham et Sarah (livre de la *Genèse*).
2. **compagnie** : troupe.
3. **lui protesta** : lui assura.
4. **pas une obole** : pas un sou.
5. **vous piquer** : ici, «vous vanter».
6. **alcade** : commissaire de police espagnol.
7. **alguazils** : agents de la police espagnole.

La vieille avait très bien deviné que ce fut un cordelier à la
55 grande manche¹ qui vola l'argent et les bijoux de Cunégonde
dans la ville de Badajos, lorsqu'elle fuyait en hâte avec Can-
dide. Ce moine voulut vendre quelques-unes des pierreries à
un joaillier. Le marchand les reconnut pour celles du grand in-
quisiteur. Le cordelier, avant d'être pendu, avoua qu'il les avait
60 volées : il indiqua les personnes, et la route qu'elles prenaient.
La fuite de Cunégonde et de Candide était déjà connue. On
les suivit à Cadix : on envoya sans perdre de temps un vaisseau
à leur poursuite. Le vaisseau était déjà dans le port de Buenos-
Ayres. Le bruit se répandit qu'un alcade allait débarquer, et
65 qu'on poursuivait les meurtriers de monseigneur le grand in-
quisiteur. La prudente vieille vit dans l'instant tout ce qui était
à faire. « Vous ne pouvez fuir, dit-elle à Cunégonde, et vous
n'avez rien à craindre : ce n'est pas vous qui avez tué monsei-
gneur, et d'ailleurs le gouverneur, qui vous aime, ne souffrira
70 pas qu'on vous maltraite ; demeurez. » Elle court sur-le-champ
à Candide : « Fuyez, dit-elle, ou dans une heure vous allez être
brûlé. » Il n'y avait pas un moment à perdre ; mais comment se
séparer de Cunégonde, et où se réfugier ?

CHAPITRE QUATORZIÈME

COMMENT CANDIDE ET CACAMBO FURENT REÇUS
CHEZ LES JÉSUITES DU PARAGUAI

1 Candide avait amené de Cadix un valet tel qu'on en trouve
beaucoup sur les côtes d'Espagne et dans les colonies. C'était

Note

1. cordelier à la grande manche : moine franciscain que l'on reconnaissait à
cause de ses grandes manches. L'expression « avoir la conscience aussi large que
la manche d'un cordelier » signifie « être peu scrupuleux ».

un quart d'Espagnol[1], né d'un métis dans le Tucuman[2], il avait
été enfant de chœur, sacristain[3], matelot, moine, facteur[4], sol-
5 dat, laquais. Il s'appelait Cacambo, et aimait fort son maître,
parce que son maître était un fort bon homme. Il sella au plus
vite les deux chevaux andalous. « Allons, mon maître, suivons
le conseil de la vieille ; partons, et courons sans regarder der-
rière nous. » Candide versa des larmes : « Ô ma chère Cuné-
10 gonde ! faut-il vous abandonner dans le temps que monsieur
le gouverneur va faire nos noces ! Cunégonde amenée de si
loin, que deviendrez-vous ? – Elle deviendra ce qu'elle pourra,
dit Cacambo ; les femmes ne sont jamais embarrassées d'elles ;
Dieu y pourvoit[5] ; courons. – Où me mènes-tu ? où allons-
15 nous ? que ferons-nous sans Cunégonde ? disait Candide. – Par
saint Jacques de Compostelle[6], dit Cacambo, vous alliez faire
la guerre aux jésuites ; allons la faire pour eux : je sais assez les
chemins, je vous mènerai dans leur royaume, ils seront char-
més d'avoir un capitaine qui fasse l'exercice à la bulgare ; vous
20 ferez une fortune prodigieuse : quand on n'a pas son compte
dans un monde, on le trouve dans un autre. C'est un très grand
plaisir de voir et de faire des choses nouvelles.

 – Tu as donc été déjà dans le Paraguai ? dit Candide. – Eh
vraiment oui ! dit Cacambo ; j'ai été cuistre[7] dans le collège de
25 l'Assomption[8], et je connais le gouvernement de Los Padres[9]
comme je connais les rues de Cadix. C'est une chose admi-
rable que ce gouvernement. Le royaume a déjà plus de trois
cents lieues de diamètre ; il est divisé en trente provinces. Los
Padres y ont tout, et les peuples rien ; c'est le chef-d'œuvre de

Notes

1. **quart d'Espagnol** : un de ses grands-
parents était espagnol.
2. **Tucuman** : province voisine du Pérou
et du Paraguay.
3. **sacristain** : laïc chargé de l'entretien
d'une église.
4. **facteur** : négociant pour le compte
d'un autre.

5. **y pourvoit** : le rend possible.
6. **saint Jacques de Compostelle** :
saint qui a donné son nom à un lieu de
pèlerinage célèbre en Espagne.
7. **cuistre** : valet (terme péjoratif).
8. **Assomption** : Asunción, capitale du
Paraguay.
9. **Los Padres** : les pères jésuites.

30 la raison et de la justice. Pour moi, je ne vois rien de si divin
que Los Padres, qui font ici la guerre au roi d'Espagne et au
roi de Portugal, et qui en Europe confessent ces rois ; qui tuent
ici des Espagnols, et qui à Madrid les envoient au ciel : cela
me ravit ; avançons : vous allez être le plus heureux de tous
35 les hommes. Quel plaisir auront Los Padres quand ils sauront
qu'il leur vient un capitaine qui sait l'exercice bulgare ! »

Dès qu'ils furent arrivés à la première barrière, Cacambo dit
à la garde avancée qu'un capitaine demandait à parler à mon-
seigneur le commandant. On alla avertir la grande garde. Un
40 officier paraguain courut aux pieds du commandant lui don-
ner part de la nouvelle. Candide et Cacambo furent d'abord
désarmés : on se saisit de leurs deux chevaux andalous. Les
deux étrangers sont introduits au milieu de deux files de sol-
dats ; le commandant était au bout, le bonnet à trois cornes[1] en
45 tête, la robe retroussée, l'épée au côté, l'esponton[2] à la main.
Il fit un signe ; aussitôt vingt-quatre soldats entourent les deux
nouveaux venus. Un sergent leur dit qu'il faut attendre, que le
commandant ne peut leur parler, que le révérend père provin-
cial ne permet pas qu'aucun Espagnol ouvre la bouche qu'en
50 sa présence, et demeure plus de trois heures dans le pays. « Et
où est le révérend père provincial ? dit Cacambo. – Il est à la
parade après avoir dit sa messe, répondit le sergent, et vous ne
pourrez baiser ses éperons que dans trois heures. – Mais, dit
Cacambo, monsieur le capitaine, qui meurt de faim comme
55 moi, n'est point espagnol, il est allemand ; ne pourrions-nous
point déjeuner en attendant Sa Révérence ? »

Le sergent alla sur-le-champ rendre compte de ce discours
au commandant. « Dieu soit béni ! dit ce seigneur, puisqu'il est
allemand, je peux lui parler ; qu'on le mène dans ma feuillée[3]. »
60 Aussitôt on conduit Candide dans un cabinet de verdure, orné

Notes

1. **bonnet à trois cornes** : coiffure
des jésuites.

2. **esponton** : demi-pique en usage dans
l'infanterie française.

3. **ma feuillée** : mon abri de feuillage.

d'une très jolie colonnade de marbre vert et or, et de treillages qui renfermaient des perroquets, des colibris, des oiseaux-mouches, des pintades, et tous les oiseaux les plus rares. Un excellent déjeuner était préparé dans des vases d'or ; et tandis que les Paraguains mangèrent du maïs dans des écuelles de bois, en plein champ, à l'ardeur du soleil, le révérend père commandant entra dans la feuillée.

C'était un très beau jeune homme, le visage plein, assez blanc, haut en couleur, le sourcil relevé, l'œil vif, l'oreille rouge, les lèvres vermeilles[1], l'air fier, mais d'une fierté qui n'était ni celle d'un Espagnol ni celle d'un jésuite. On rendit à Candide et à Cacambo leurs armes, qu'on leur avait saisies, ainsi que les deux chevaux andalous ; Cacambo leur fit manger l'avoine auprès de la feuillée, ayant toujours l'œil sur eux, crainte de surprise[2].

Candide baisa d'abord le bas de la robe du commandant, ensuite ils se mirent à table. « Vous êtes donc allemand ? lui dit le jésuite en cette langue. – Oui, mon révérend père », dit Candide. L'un et l'autre, en prononçant ces paroles, se regardaient avec une extrême surprise, et une émotion dont ils n'étaient pas les maîtres. « Et de quel pays d'Allemagne êtes-vous ? dit le jésuite. – De la sale province de Vestphalie, dit Candide ; je suis né dans le château de Thunder-ten-tronckh. – Ô Ciel ! est-il possible ! s'écria le commandant. – Quel miracle ! s'écria Candide. – Serait-ce vous ? dit le commandant. – Cela n'est pas possible », dit Candide. Ils se laissent tomber tous deux à la renverse, ils s'embrassent, ils versent des ruisseaux de larmes. « Quoi ! serait-ce vous, mon révérend père ? vous, le frère de la belle Cunégonde ! vous, qui fûtes tué par les Bulgares ! vous, le fils de monsieur le baron ! vous, jésuite au Paraguai ! Il faut

Notes

1. **vermeilles** : rouges.

2. **crainte de surprise** : par crainte d'une mauvaise surprise.

avouer que ce monde est une étrange chose. Ô Pangloss ! Pangloss ! que vous seriez aise[1] si vous n'aviez pas été pendu ! »

Le commandant fit retirer les esclaves nègres et les Paraguains qui servaient à boire dans des gobelets de cristal de
95 roche. Il remercia Dieu et saint Ignace[2] mille fois ; il serrait Candide entre ses bras, leurs visages étaient baignés de pleurs. « Vous seriez bien plus étonné, plus attendri, plus hors de vous-même, dit Candide, si je vous disais que mademoiselle Cunégonde, votre sœur, que vous avez crue éventrée, est pleine
100 de santé. – Où ? – Dans votre voisinage, chez monsieur le gouverneur de Buenos-Ayres ; et je venais pour vous faire la guerre. » Chaque mot qu'ils prononcèrent dans cette longue conversation accumulait prodige sur prodige. Leur âme tout entière volait sur leur langue, était attentive dans leurs oreilles,
105 et étincelante dans leurs yeux. Comme ils étaient allemands, ils tinrent table longtemps[3], en attendant le révérend père provincial ; et le commandant parla ainsi à son cher Candide.

CHAPITRE QUINZIÈME

COMMENT CANDIDE TUA LE FRÈRE DE SA CHÈRE CUNÉGONDE

1 « J'aurai toute ma vie présent à la mémoire le jour horrible où je vis tuer mon père et ma mère, et violer ma sœur. Quand les Bulgares furent retirés, on ne trouva point cette sœur adorable, et on mit dans une charrette ma mère, mon père, et
5 moi, deux servantes et trois petits garçons égorgés, pour nous aller enterrer dans une chapelle de jésuites, à deux lieues du

1. **vous seriez aise** : vous seriez satisfait.
2. Il s'agit de saint Ignace de Loyola, le fondateur de l'ordre des Jésuites (Compagnie de Jésus) au XVIe siècle.

3. **ils tinrent table longtemps** : ils restèrent longtemps à table.

château de mes pères. Un jésuite nous jeta de l'eau bénite ;
elle était horriblement salée ; il en entra quelques gouttes dans
mes yeux : le père s'aperçut que ma paupière faisait un petit
10 mouvement : il mit la main sur mon cœur, et le sentit palpi-
ter ; je fus secouru, et au bout de trois semaines il n'y paraissait
pas[1]. Vous savez, mon cher Candide, que j'étais fort joli ; je le
devins encore davantage ; aussi le révérend père Croust, supé-
rieur de la maison, prit pour moi la plus tendre amitié : il me
15 donna l'habit de novice ; quelque temps après je fus envoyé à
Rome. Le père général[2] avait besoin d'une recrue de jeunes
jésuites allemands. Les souverains du Paraguai reçoivent le
moins qu'ils peuvent de jésuites espagnols ; ils aiment mieux
les étrangers, dont ils se croient plus maîtres. Je fus jugé propre
20 par le révérend père général pour aller travailler dans cette
vigne[3]. Nous partîmes, un Polonais, un Tyrolien et moi. Je fus
honoré, en arrivant, du sous-diaconat[4] et d'une lieutenance ;
je suis aujourd'hui colonel et prêtre. Nous recevons vigoureu-
sement les troupes du roi d'Espagne ; je vous réponds qu'elles
25 seront excommuniées et battues. La Providence[5] vous envoie
ici pour nous seconder. Mais est-il bien vrai que ma chère
sœur Cunégonde soit dans le voisinage, chez le gouverneur de
Buenos-Ayres ? » Candide l'assura par serment que rien n'était
plus vrai. Leurs larmes recommencèrent à couler.
30 Le baron ne pouvait se lasser d'embrasser Candide ; il l'ap-
pelait son frère, son sauveur. « Ah ! peut-être, lui dit-il, nous
pourrons ensemble, mon cher Candide, entrer en vainqueurs
dans la ville, et reprendre ma sœur Cunégonde. – C'est tout
ce que je souhaite, dit Candide ; car je comptais l'épouser, et je
35 l'espère encore. – Vous, insolent ! répondit le baron, vous au-

Notes

1. **il n'y paraissait pas** : il semblait que
je n'avais jamais été blessé.
2. **père général** : supérieur de l'ordre
des Jésuites.

3. **vigne** : allusion à l'Évangile de Mathieu
qui représente les disciples du Christ
comme les ouvriers d'une vigne.
4. **sous-diaconat** : ordre religieux mineur.
5. **La Providence** : Dieu.

riez l'impudence[1] d'épouser ma sœur, qui a soixante et douze quartiers! Je vous trouve bien effronté d'oser me parler d'un dessein[2] si téméraire!» Candide, pétrifié d'un tel discours, lui répondit : «Mon révérend père, tous les quartiers du monde
40 n'y font rien; j'ai tiré votre sœur des bras d'un juif et d'un inquisiteur; elle m'a assez d'obligations[3], elle veut m'épouser. Maître Pangloss m'a toujours dit que les hommes sont égaux; et assurément je l'épouserai. – C'est ce que nous verrons, coquin!» dit le jésuite baron de Thunder-ten-tronckh;
45 et en même temps il lui donna un grand coup du plat de son épée sur le visage. Candide dans l'instant tire la sienne, et l'enfonce jusqu'à la garde dans le ventre du baron jésuite; mais en la retirant toute fumante, il se mit à pleurer : «Hélas! mon Dieu, dit-il, j'ai tué mon ancien maître, mon ami, mon beau-
50 frère; je suis le meilleur homme du monde, et voilà déjà trois hommes que je tue; et dans ces trois il y a deux prêtres.»

Cacambo, qui faisait sentinelle à la porte de la feuillée, accourut. «Il ne nous reste qu'à vendre cher notre vie, lui dit son maître; on va, sans doute, entrer dans la feuillée; il faut
55 mourir les armes à la main.» Cacambo, qui en avait bien vu d'autres, ne perdit point la tête; il prit la robe de jésuite que portait le baron, la mit sur le corps de Candide, lui donna le bonnet carré[4] du mort, et le fit monter à cheval. Tout cela se fit en un clin d'œil. «Galopons, mon maître; tout le monde
60 vous prendra pour un jésuite qui va donner des ordres; et nous aurons passé les frontières avant qu'on puisse courir après nous.» Il volait déjà en prononçant ces paroles, et en criant en espagnol : «Place, place pour le révérend père colonel!»

Notes

1. **impudence :** effronterie.
2. **un dessein :** une intention.
3. **elle m'a assez d'obligations :** elle me doit quelque chose.

4. La base de la coiffure à trois cornes des jésuites est carrée.

CHAPITRE SEIZIÈME

CE QUI ADVINT AUX DEUX VOYAGEURS AVEC DEUX FILLES, DEUX SINGES, ET LES SAUVAGES NOMMÉS OREILLONS

1 Candide et son valet furent au-delà des barrières, et personne ne savait encore dans le camp la mort du jésuite allemand. Le vigilant Cacambo avait eu soin de remplir sa valise[1] de pain, de chocolat, de jambon, de fruits et de quelques
5 mesures de vin. Ils s'enfoncèrent avec leurs chevaux andalous dans un pays inconnu où ils ne découvrirent aucune route. Enfin une belle prairie entrecoupée de ruisseaux se présenta devant eux. Nos deux voyageurs font repaître[2] leurs montures. Cacambo propose à son maître de manger, et lui en donne
10 l'exemple. «Comment veux-tu, disait Candide, que je mange du jambon, quand j'ai tué le fils de monsieur le baron, et que je me vois condamné à ne revoir la belle Cunégonde de ma vie? À quoi me servira de prolonger mes misérables jours, puisque je dois les traîner loin d'elle dans les remords et dans
15 le désespoir? Et que dira le *Journal de Trévoux*[3]?»

 En parlant ainsi, il ne laissa pas de manger[4]. Le soleil se couchait. Les deux égarés entendirent quelques petits cris qui paraissaient poussés par des femmes. Ils ne savaient si ces cris étaient de douleur ou de joie; mais ils se levèrent précipitam-
20 ment avec cette inquiétude et cette alarme[5] que tout inspire dans un pays inconnu. Ces clameurs partaient de deux filles toutes nues qui couraient légèrement au bord de la prairie,

Notes

1. valise : sac que l'on peut disposer sur la croupe d'un cheval.
2. repaître : paître.
3. Journal de Trévoux : *Revue de Trévoux*, revue littéraire fondée par les jésuites et hostile à Voltaire.

4. il ne laissa pas de manger : il mangea cependant.
5. alarme : vive inquiétude.

tandis que deux singes les suivaient en leur mordant les fesses. Candide fut touché de pitié ; il avait appris à tirer chez les Bul-
25 gares, et il aurait abattu une noisette dans un buisson sans toucher aux feuilles. Il prend son fusil espagnol à deux coups, tire, et tue les deux singes. « Dieu soit loué, mon cher Cacambo ! j'ai délivré d'un grand péril ces deux pauvres créatures : si j'ai commis un péché en tuant un inquisiteur et un jésuite, je l'ai
30 bien réparé en sauvant la vie à deux filles. Ce sont peut-être deux demoiselles de condition¹, et cette aventure nous peut procurer de très grands avantages dans le pays. »

Il allait continuer, mais sa langue devint percluse² quand il vit ces deux filles embrasser tendrement les deux singes,
35 fondre en larmes sur leurs corps, et remplir l'air des cris les plus douloureux. « Je ne m'attendais pas à tant de bonté d'âme », dit-il enfin à Cacambo ; lequel lui réplique : « Vous avez fait là un beau chef-d'œuvre, mon maître ; vous avez tué les deux amants³ de ces demoiselles. – Leurs amants ! serait-il
40 possible ? Vous vous moquez de moi, Cacambo ; le moyen de vous croire ? – Mon cher maître, repartit Cacambo, vous êtes toujours étonné de tout ; pourquoi trouvez-vous si étrange que dans quelques pays il y ait des singes qui obtiennent les bonnes grâces des dames ? Ils sont des quarts d'homme, comme je suis
45 un quart d'Espagnol. – Hélas ! reprit Candide, je me souviens d'avoir entendu dire à maître Pangloss qu'autrefois pareils accidents étaient arrivés, et que ces mélanges avaient produit des égypans⁴, des faunes, des satyres⁵ ; que plusieurs grands personnages de l'Antiquité en avaient vu ; mais je prenais cela
50 pour des fables. – Vous devez être convaincu à présent, dit Cacambo, que c'est une vérité, et vous voyez comment en usent⁶

Notes

1. **de condition** : de condition noble.
2. **percluse** : paralysée.
3. **amants** : soupirants.
4. **égypans** : divinités avec des cornes, des pieds de chèvre et une tête humaine.

5. **faunes, satyres** : divinités portant des cornes, des pattes de chèvres ou de boucs et une tête humaine.
6. **en usent** : agissent.

les personnes qui n'ont pas reçu une certaine éducation ; tout ce que je crains, c'est que ces dames ne nous fassent quelque méchante affaire. »

55 Ces réflexions solides engagèrent Candide à quitter la prairie, et à s'enfoncer dans un bois. Il y soupa avec Cacambo ; et tous deux, après avoir maudit l'inquisiteur de Portugal, le gouverneur de Buenos-Ayres, et le baron, s'endormirent sur de la mousse. À leur réveil, ils sentirent qu'ils ne pouvaient
60 remuer ; la raison en était que pendant la nuit les Oreillons, habitants du pays, à qui les deux dames les avaient dénoncés, les avaient garrottés avec des cordes d'écorces d'arbre. Ils étaient entourés d'une cinquantaine d'Oreillons tout nus, armés de flèches, de massues et de haches de caillou : les uns
65 faisaient bouillir une grande chaudière[1] ; les autres préparaient des broches, et tous criaient : « C'est un jésuite, c'est un jésuite ! nous serons vengés, et nous ferons bonne chère ; mangeons du jésuite, mangeons du jésuite ! »

« Je vous l'avais bien dit, mon cher maître, s'écria tristement
70 Cacambo, que ces deux filles nous joueraient d'un mauvais tour. » Candide, apercevant la chaudière et les broches, s'écria : « Nous allons certainement être rôtis ou bouillis. Ah ! que dirait maître Pangloss, s'il voyait comme la pure nature est faite ? Tout est bien ; soit, mais j'avoue qu'il est bien cruel d'avoir
75 perdu mademoiselle Cunégonde et d'être mis à la broche par des Oreillons. » Cacambo ne perdait jamais la tête. « Ne désespérez de rien, dit-il au désolé Candide ; j'entends un peu le jargon de ces peuples, je vais leur parler. – Ne manquez pas, dit Candide, de leur représenter quelle est l'inhumanité affreuse
80 de faire cuire des hommes, et combien cela est peu chrétien. »

« Messieurs, dit Cacambo, vous comptez donc manger aujourd'hui un jésuite ? C'est très bien fait ; rien n'est plus juste

Note

1. **une grande chaudière** : un grand chaudron.

que de traiter ainsi ses ennemis. En effet le droit naturel[1] nous enseigne à tuer notre prochain, et c'est ainsi qu'on en agit dans toute la terre. Si nous n'usons pas du droit de le manger, c'est que nous avons d'ailleurs de quoi faire bonne chère ; mais vous n'avez pas les mêmes ressources que nous ; certainement il vaut mieux manger ses ennemis que d'abandonner aux corbeaux et aux corneilles le fruit de sa victoire. Mais, messieurs, vous ne voudriez pas manger vos amis. Vous croyez aller mettre un jésuite en broche, et c'est votre défenseur, c'est l'ennemi de vos ennemis que vous allez rôtir. Pour moi, je suis né dans votre pays ; monsieur que vous voyez est mon maître, et bien loin d'être jésuite, il vient de tuer un jésuite, il en porte les dépouilles[2] ; voilà le sujet de votre méprise[3]. Pour vérifier ce que je vous dis, prenez sa robe, portez-la à la première barrière du royaume de Los Padres ; informez-vous si mon maître n'a pas tué un officier jésuite. Il vous faudra peu de temps ; vous pourrez toujours nous manger, si vous trouvez que je vous ai menti. Mais, si je vous ai dit la vérité, vous connaissez trop les principes du droit public, les mœurs et les lois, pour ne nous pas faire grâce. »

Les Oreillons trouvèrent ce discours très raisonnable ; ils députèrent[4] deux notables pour aller en diligence[5] s'informer de la vérité ; les deux députés[6] s'acquittèrent de leur commission en gens d'esprit[7], et revinrent bientôt apporter de bonnes nouvelles. Les Oreillons délièrent leurs deux prisonniers, leur firent toutes sortes de civilités, leur offrirent des filles, leur donnèrent des rafraîchissements, et les reconduisirent jusqu'aux confins de leurs États, en criant avec allégresse[8] : « Il n'est point jésuite, il n'est point jésuite ! »

Notes

1. **droit naturel** : règles fondées sur la nature de l'homme.
2. **dépouilles** : habits que portait le mort.
3. **méprise** : erreur.
4. **députèrent** : envoyèrent.
5. **en diligence** : rapidement.
6. **députés** : personnes mandatées.
7. **en gens d'esprit** : avec intelligence.
8. **allégresse** : grande joie.

Candide ne se lassait point d'admirer le sujet de sa délivrance. «Quel peuple! disait-il, quels hommes! quelles mœurs! Si je n'avais pas eu le bonheur de donner un grand coup d'épée au travers du corps du frère de mademoiselle Cunégonde, j'étais mangé sans rémission[1]. Mais, après tout, la pure nature est bonne, puisque ces gens-ci, au lieu de me manger, m'ont fait mille honnêtetés[2] dès qu'ils ont su que je n'étais pas jésuite.»

CHAPITRE DIX-SEPTIÈME

ARRIVÉE DE CANDIDE ET DE SON VALET AU PAYS D'ELDORADO, ET CE QU'ILS Y VIRENT

Quand ils furent aux frontières des Oreillons : «Vous voyez, dit Cacambo à Candide, que cet hémisphère-ci ne vaut pas mieux que l'autre ; croyez-moi, retournons en Europe par le plus court[3]. – Comment y retourner, dit Candide ; et où aller? Si je vais dans mon pays, les Bulgares et les Abares y égorgent tout ; si je retourne en Portugal, j'y suis brûlé ; si nous restons dans ce pays-ci, nous risquons à tout moment d'être mis en broche. Mais comment se résoudre à quitter la partie du monde que mademoiselle Cunégonde habite?

– Tournons vers la Cayenne[4], dit Cacambo, nous y trouverons des Français, qui vont par tout le monde ; ils pourront nous aider. Dieu aura peut-être pitié de nous.»

Il n'était pas facile d'aller à la Cayenne ; ils savaient bien à peu près de quel côté il fallait marcher ; mais des montagnes, des fleuves, des précipices, des brigands, des sauvages, étaient partout de terribles obstacles. Leurs chevaux moururent de

Notes

1. **sans rémission** : sans possibilité d'en échapper.
2. **honnêtetés** : marques de politesse.

3. **le plus court** : le chemin le plus court.
4. **la Cayenne** : partie de la Guyane.

fatigue ; leurs provisions furent consumées[1] ; ils se nourrirent un mois entier de fruits sauvages, et se trouvèrent enfin auprès d'une petite rivière bordée de cocotiers, qui soutinrent leur
20 vie et leurs espérances.

Cacambo, qui donnait toujours d'aussi bons conseils que la vieille, dit à Candide : « Nous n'en pouvons plus, nous avons assez marché ; j'aperçois un canot vide sur le rivage, emplissons-le de cocos, jetons-nous dans cette petite barque, laissons-
25 nous aller au courant ; une rivière mène toujours à quelque endroit habité. Si nous ne trouvons pas des choses agréables, nous trouverons du moins des choses nouvelles. – Allons, dit Candide, recommandons-nous à la Providence »

Ils voguèrent quelques lieues entre des bords tantôt fleuris,
30 tantôt arides[2], tantôt unis, tantôt escarpés[3]. La rivière s'élargissait toujours ; enfin elle se perdait sous une voûte de rochers épouvantables qui s'élevaient jusqu'au ciel. Les deux voyageurs eurent la hardiesse[4] de s'abandonner aux flots sous cette voûte. Le fleuve, resserré en cet endroit, les porta avec une rapidité et
35 un bruit horribles. Au bout de vingt-quatre heures ils revirent le jour ; mais leur canot se fracassa contre les écueils ; il fallut se traîner de rocher en rocher pendant une lieue entière ; enfin ils découvrirent un horizon immense, bordé de montagnes inaccessibles Le pays était cultivé pour le plaisir comme pour
40 le besoin ; partout l'utile était agréable. Les chemins étaient couverts ou plutôt ornés de voitures d'une forme et d'une matière brillante, portant des hommes et des femmes d'une beauté singulière[5], traînés rapidement par de gros moutons rouges[6] qui surpassaient en vitesse les plus beaux chevaux
45 d'Andalousie, de Tétuan[7] et de Méquinez[8].

Notes

1. **consumées** : consommées.
2. **arides** : sans végétation.
3. **escarpés** : en pente raide.
4. **la hardiesse** : l'audace.
5. **singulière** : remarquable.

6. **gros moutons rouges** : lamas du Pérou.
7. **Tétuan** : Tétouan, royaume de Fès réputé pour ses chevaux arabes.
8. **Méquinez** : Meknès, ville du Maroc.

Candide ou l'Optimisme de Voltaire

«Voilà pourtant, dit Candide, un pays qui vaut mieux que la Vestphalie.» Il mit pied à terre avec Cacambo auprès du premier village qu'il rencontra. Quelques enfants du village, couverts de brocarts d'or tout déchirés, jouaient au palet[1] à
50 l'entrée du bourg; nos deux hommes de l'autre monde s'amusèrent à les regarder : leurs palets étaient d'assez larges pièces rondes, jaunes, rouges, vertes, qui jetaient un éclat singulier. Il prit envie aux voyageurs d'en ramasser quelques-uns; c'était de l'or, c'était des émeraudes, des rubis, dont le moindre aurait
55 été le plus grand ornement du trône du Mogol[2]. «Sans doute, dit Cacambo, ces enfants sont les fils du roi du pays, qui jouent au petit palet.» Le magister[3] du village parut dans ce moment pour les faire rentrer à l'école. «Voilà, dit Candide, le précepteur[4] de la famille royale.»

60 Les petits gueux[5] quittèrent aussitôt le jeu, en laissant à terre leurs palets, et tout ce qui avait servi à leurs divertissements. Candide les ramasse, court au précepteur, et les lui présente humblement, lui faisant entendre[6] par signes que leurs altesses royales avaient oublié leur or et leurs pierreries. Le magister
65 du village, en souriant, les jeta par terre, regarda un moment la figure de Candide avec beaucoup de surprise, et continua son chemin.

Les voyageurs ne manquèrent pas de ramasser l'or, les rubis et les émeraudes. «Où sommes-nous? s'écria Candide.
70 Il faut que les enfants des rois de ce pays soient bien élevés, puisqu'on leur apprend à mépriser l'or et les pierreries.» Cacambo était aussi surpris que Candide. Ils approchèrent enfin de la première maison du village; elle était bâtie comme un

Notes

1. palet : jeu qui consiste à jeter un palet le plus près possible du but.
2. Mogol : souverain de l'Empire mongol qui, jusqu'à la Renaissance, s'est étendu de la Chine à la Hongrie.
3. magister : maître.

4. précepteur : maître qui enseigne aux enfants de la noblesse.
5. petits gueux : enfants de famille pauvre.
6. entendre : comprendre.

palais d'Europe. Une foule de monde s'empressait à la porte,
et encore plus dans le logis ; une musique très agréable se fai-
sait entendre, et une odeur délicieuse de cuisine se faisait sen-
tir. Cacambo s'approcha de la porte, et entendit qu'on parlait
péruvien ; c'était sa langue maternelle ; car tout le monde sait
que Cacambo était né au Tucuman, dans un village où l'on
ne connaissait que cette langue. « Je vous servirai d'interprète,
dit-il à Candide ; entrons, c'est ici un cabaret. »

Aussitôt deux garçons et deux filles de l'hôtellerie, vêtus de
drap d'or, et les cheveux renoués avec des rubans, les invitent
à se mettre à la table de l'hôte. On servit quatre potages gar-
nis chacun de deux perroquets, un contour[1] bouilli qui pesait
deux cents livres, deux singes rôtis d'un goût excellent, trois
cents colibris dans un plat, et six cents oiseaux-mouches dans
un autre ; des ragoûts exquis, des pâtisseries délicieuses ; le tout
dans des plats d'une espèce de cristal de roche. Les garçons et
les filles de l'hôtellerie versaient plusieurs liqueurs faites de
canne de sucre.

Les convives étaient pour la plupart des marchands et des
voituriers, tous d'une politesse extrême, qui firent quelques
questions à Cacambo avec la discrétion la plus circonspecte[2],
et qui répondirent aux siennes d'une manière à le satisfaire.

Quand le repas fut fini, Cacambo crut, ainsi que Candide,
bien payer son écot en jetant sur la table de l'hôte deux de
ces larges pièces d'or qu'il avait ramassées ; l'hôte et l'hôtesse
éclatèrent de rire, et se tinrent longtemps les côtés. Enfin ils
se remirent. « Messieurs, dit l'hôte, nous voyons bien que vous
êtes des étrangers ; nous ne sommes pas accoutumés à en voir.
Pardonnez-nous si nous nous sommes mis à rire quand vous
nous avez offert en payement les cailloux de nos grands che-
mins. Vous n'avez pas sans doute de la monnaie du pays, mais
il n'est pas nécessaire d'en avoir pour dîner ici. Toutes les hô-

telleries établies pour la commodité du commerce sont payées par le gouvernement. Vous avez fait mauvaise chère[1] ici, parce que c'est un pauvre village ; mais partout ailleurs vous serez reçus comme vous méritez de l'être. » Cacambo expliquait à Candide tous les discours de l'hôte, et Candide les écoutait avec la même admiration et le même égarement que son ami Cacambo les rendait. « Quel est donc ce pays, disaient-ils l'un et l'autre, inconnu à tout le reste de la terre, et où toute la nature est d'une espèce si différente de la nôtre ? C'est probablement le pays où tout va bien : car il faut absolument qu'il y en ait un de cette espèce. Et, quoi qu'en dit maître Pangloss, je me suis souvent aperçu que tout allait mal en Vestphalie. »

optimisme.

CHAPITRE DIX-HUITIÈME

Ce qu'ils virent dans le pays d'Eldorado

Cacambo témoigna à son hôte toute sa curiosité ; l'hôte lui dit : « Je suis fort ignorant, et je m'en trouve bien ; mais nous avons ici un vieillard retiré de la Cour qui est le plus savant homme du royaume, et le plus communicatif[2]. » Aussitôt il mène Cacambo chez le vieillard. Candide ne jouait plus que le second personnage, et accompagnait son valet. Ils entrèrent dans une maison fort simple, car la porte n'était que d'argent, et les lambris[3] des appartements n'étaient que d'or, mais travaillés avec tant de goût que les plus riches lambris ne l'effaçaient pas. L'antichambre n'était à la vérité incrustée que de rubis et d'émeraudes ; mais l'ordre dans lequel tout était arrangé réparait bien cette extrême simplicité.

Notes

1. **fait mauvaise chère** : été mal nourris. 3. **lambris** : boiseries.
2. **communicatif** : bavard.

Chapitre dix-huitième | 71

Le vieillard reçut les deux étrangers sur un sofa matelassé de plumes de colibri, et leur fit présenter des liqueurs dans des

15 vases de diamant ; après quoi il satisfit à leur curiosité en ces termes :

« Je suis âgé de cent soixante et douze ans, et j'ai appris de feu mon père[1], écuyer du roi, les étonnantes révolutions du Pérou dont il avait été témoin. Le royaume où nous sommes est l'an-

20 cienne patrie des Incas, qui en sortirent très imprudemment pour aller subjuguer[2] une partie du monde et qui furent enfin détruits par les Espagnols. Les princes de leur famille qui res- tèrent dans leur pays natal furent plus sages ; ils ordonnèrent, du consentement[3] de la nation, qu'aucun habitant ne sortirait

25 jamais de notre petit royaume ; et c'est ce qui nous a conservé notre innocence et notre félicité[4]. Les Espagnols ont eu une connaissance confuse de ce pays, ils l'ont appelé *El Dorado* ; et un Anglais, nommé le chevalier Raleigh[5], en a même appro- ché il y a environ cent années ; mais, comme nous sommes

30 entourés de rochers inabordables et de précipices, nous avons toujours été jusqu'à présent à l'abri de la rapacité[6] des nations de l'Europe, qui ont une fureur inconcevable pour les cailloux et pour la fange[7] de notre terre, et qui, pour en avoir, nous tueraient tous jusqu'au dernier. »

35 La conversation fut longue ; elle roula[8] sur la forme du gou- vernement, sur les mœurs, sur les femmes, sur les spectacles publics, sur les arts. Enfin Candide, qui avait toujours du goût pour la métaphysique, fit demander par Cacambo si dans le pays il y avait une religion.

Notes

1. **feu mon père** : mon père qui est décédé.
2. **subjuguer** : dominer.
3. **du consentement** : par le consentement.
4. **félicité** : bonheur.

5. Sir Walter Raleigh explora l'Amazonie en 1596.
6. **rapacité** : soif de gain, cupidité.
7. **fange** : boue.
8. **roula** : ici, « porta ».

40 Le vieillard rougit un peu. «Comment donc! dit-il; en pouvez-vous douter? Est-ce que vous nous prenez pour des ingrats?» Cacambo demanda humblement quelle était la religion d'Eldorado. Le vieillard rougit encore : «Est-ce qu'il peut y avoir deux religions? dit-il. Nous avons, je crois, la

45 religion de tout le monde, nous adorons Dieu du soir jusqu'au matin. – N'adorez-vous qu'un seul Dieu? dit Cacambo, qui servait toujours d'interprète aux doutes de Candide. – Apparemment, dit le vieillard, qu'il n'y en a ni deux, ni trois, ni quatre. Je vous avoue que les gens de votre monde font des

50 questions bien singulières[1].» Candide ne se lassait pas de faire interroger ce bon vieillard; il voulut savoir comment on priait Dieu dans l'Eldorado. «Nous ne le prions point, dit le bon et respectable sage; nous n'avons rien à lui demander, il nous a donné tout ce qu'il nous faut; nous le remercions sans cesse.»

55 Candide eut la curiosité de voir des prêtres; il fit demander où ils étaient. Le bon vieillard sourit. «Mes amis, dit-il, nous sommes tous prêtres; le roi et tous les chefs de famille chantent des cantiques d'actions de grâces solennellement tous les matins et cinq ou six mille musiciens les accompagnent.

60 – Quoi! Vous n'avez point de moines qui enseignent, qui disputent[2], qui gouvernent, qui cabalent[3], et qui font brûler les gens qui ne sont pas de leur avis? – Il faudrait que nous fussions fous, dit le vieillard; nous sommes tous ici du même avis, et nous n'entendons pas ce que vous voulez dire avec vos

65 moines.» Candide à tous ces discours demeurait en extase, et disait en lui-même : «Ceci est bien différent de la Vestphalie et du château de monsieur le baron : si notre ami Pangloss avait vu Eldorado, il n'aurait plus dit que le château de Thunderten-tronckh était ce qu'il y avait de mieux sur la terre; il est

70 certain qu'il faut voyager.»

1. **singulières** : ici, « étonnantes ». 3. **cabalent** : conspirent.
2. **disputent** : discutent avec passion.

Après cette longue conversation, le bon vieillard fit atteler un carrosse à six moutons, et donna douze de ses domestiques aux deux voyageurs pour les conduire à la Cour. «Excusez-moi, leur dit-il, si mon âge me prive de l'honneur de vous
75 accompagner. Le roi vous recevra d'une manière dont vous ne serez pas mécontents, et vous pardonnerez sans doute aux usages du pays, s'il y en a quelques-uns qui vous déplaisent. »

Candide et Cacambo montent en carrosse ; les six moutons volaient, et en moins de quatre heures on arriva au palais du
80 roi, situé à un bout de la capitale. Le portail était de deux cent vingt pieds de haut, et de cent de large ; il est impossible d'exprimer quelle en était la matière. On voit assez quelle supériorité prodigieuse elle devait avoir sur ces cailloux, et sur ce sable que nous nommons or et pierreries.
85 Vingt belles filles de la garde reçurent Candide et Cacambo à la descente du carrosse, les conduisirent aux bains, les vêtirent de robes d'un tissu de duvet de colibri ; après quoi les grands officiers et les grandes officières de la couronne les menèrent à l'appartement de Sa Majesté au milieu de deux files, chacune
90 de mille musiciens, selon l'usage ordinaire. Quand ils approchèrent de la salle du trône, Cacambo demanda à un grand officier comment il fallait s'y prendre pour saluer Sa Majesté : si on se jetait à genoux ou ventre à terre ; si on mettait les mains sur la tête ou sur le derrière ; si on léchait la poussière de la salle ; en
95 un mot, quelle était la cérémonie. «L'usage, dit le grand officier, est d'embrasser[1] le roi et de le baiser des deux côtés. » Candide et Cacambo sautèrent au cou de Sa Majesté, qui les reçut avec toute la grâce imaginable, et qui les pria poliment à souper.

En attendant, on leur fit voir la ville, les édifices publics
100 élevés jusqu'aux nues[2], les marchés ornés de mille colonnes, les fontaines d'eau pure, les fontaines d'eau rose[3], celles de

Notes

1. embrasser : prendre dans ses bras. 3. eau rose : eau de rose, parfum floral.
2. nues : ciel.

liqueurs de canne de sucre qui coulaient continuellement dans de grandes places pavées d'une espèce de pierreries qui répandaient une odeur semblable à celle du gérofle[1] et de la cannelle. Candide demande à voir la cour de justice, le parlement ; on lui dit qu'il n'y en avait point, et qu'on ne plaidait jamais. Il s'informa s'il y avait des prisons, et on lui dit que non. Ce qui le surprit davantage, et qui lui fit le plus de plaisir, ce fut le palais des sciences, dans lequel il vit une galerie de deux mille pas, toute pleine d'instruments de mathématique et de physique.

Après avoir parcouru toute l'après-dînée à peu près la millième partie de la ville, on les ramena chez le roi. Candide se mit à table entre Sa Majesté, son valet Cacambo et plusieurs dames. Jamais on ne fit meilleure chère, et jamais on n'eut plus d'esprit à souper qu'en eut Sa Majesté. Cacambo expliquait les bons mots du roi à Candide, et quoique traduits, ils paraissaient toujours des bons mots. De tout ce qui étonnait Candide, ce n'était pas ce qui l'étonna le moins.

Ils passèrent un mois dans cet hospice[2]. Candide ne cessait de dire à Cacambo : «Il est vrai, mon ami, encore une fois, que le château où je suis né ne vaut pas le pays où nous sommes ; mais enfin mademoiselle Cunégonde n'y est pas, et vous avez sans doute quelque maîtresse en Europe. Si nous restons ici, nous n'y serons que comme les autres ; au lieu que si nous retournons dans notre monde, seulement avec douze moutons chargés de cailloux d'Eldorado, nous serons plus riches que tous les rois ensemble, nous n'aurons plus d'inquisiteurs[3] à craindre, et nous pourrons aisément reprendre mademoiselle Cunégonde. »

Ce discours plut à Cacambo ; on aime tant à courir, à se faire valoir chez les siens, à faire parade de[4] ce qu'on a vu dans ses

Notes

1. **gérofle** : clou de girofle.
2. **hospice** : lieu où l'on offre l'hospitalité.
3. Allusion au chapitre 6.
4. **faire parade de** : montrer.

voyages, que les deux heureux résolurent[1] de ne plus l'être, et de demander leur congé à Sa Majesté.

135 « Vous faites une sottise, leur dit le roi ; je sais bien que mon pays est peu de chose ; mais, quand on est passablement[2] quelque part, il faut y rester. Je n'ai pas assurément le droit de retenir des étrangers ; c'est une tyrannie qui n'est ni dans nos mœurs ni dans nos lois : tous les hommes sont libres ; partez

140 quand vous voudrez, mais la sortie est bien difficile. Il est impossible de remonter la rivière rapide sur laquelle vous êtes arrivés par miracle, et qui court sous des voûtes de rochers. Les montagnes qui entourent tout mon royaume ont dix mille pieds[3] de hauteur, et sont droites comme des murailles : elles

145 occupent chacune en largeur un espace de plus de dix lieues ; on ne peut en descendre que par des précipices. Cependant, puisque vous voulez absolument partir, je vais donner ordre aux intendants des machines d'en faire une qui puisse vous transporter commodément[4]. Quand on vous aura conduits

150 au revers[5] des montagnes, personne ne pourra vous accompagner : car mes sujets ont fait vœu de ne jamais sortir de leur enceinte, et ils sont trop sages pour rompre leur vœu. Demandez-moi d'ailleurs[6] tout ce qu'il vous plaira. — Nous ne demandons à Votre Majesté, dit Cacambo, que quelques mou-

155 tons chargés de vivres, de cailloux, et de la boue du pays. » Le roi rit : « Je ne conçois pas, dit-il, quel goût vos gens d'Europe ont pour notre boue jaune ; mais emportez-en tant que vous voudrez, et grand bien vous fasse. »

Il donna l'ordre sur-le-champ à ses ingénieurs de faire une

160 machine pour guinder[7] ces deux hommes extraordinaires hors du royaume. Trois mille bons physiciens y travaillèrent ; elle fut prête au bout de quinze jours, et ne coûta pas plus de

Notes

1. résolurent : décidèrent.
2. est passablement : vit convenablement.
3. dix mille pieds : 3 000 m environ.
4. commodément : de manière pratique.
5. au revers : derrière.
6. d'ailleurs : de plus.
7. guinder : hisser.

vingt millions de livres sterling, monnaie du pays. On mit
sur la machine Candide et Cacambo ; il y avait deux grands
moutons rouges sellés et bridés pour leur servir de monture
quand ils auraient franchi les montagnes, vingt moutons de
bât[1] chargés de vivres, trente qui portaient des présents de ce
que le pays a de plus curieux, et cinquante chargés d'or, de
pierreries et de diamants. Le roi embrassa tendrement les deux
vagabonds.

Ce fut un beau spectacle que leur départ, et la manière ingé-
nieuse dont ils furent hissés, eux et leurs moutons, au haut des
montagnes. Les physiciens prirent congé d'eux après les avoir
mis en sûreté, et Candide n'eut plus d'autre désir et d'autre
objet que d'aller présenter ses moutons à mademoiselle Cuné-
gonde. « Nous avons, dit-il, de quoi payer le gouverneur de
Buenos-Ayres, si mademoiselle Cunégonde peut être mise à
prix. Marchons vers la Cayenne, embarquons-nous, et nous
verrons ensuite quel royaume nous pourrons acheter. »

Note

1. de bât : destinés à porter des charges.

À la cour de l'Eldorado

Lecture analytique de l'extrait (p. 74, l. 78, à p. 75, l. 111)

UN MONDE IDÉAL

❶ En quoi l'arrivée de Candide et Cacambo est-elle grandiose ? Étudiez la dynamique du récit initial.

Le point de vue (ou focalisation)

- **Interne :** la scène est vue par un personnage participant à l'action.
- **Externe :** le regard est extérieur à la scène.
- **Omniscient :** le narrateur sait tout de son personnage, son passé, ses pensées…

❷ Relevez les images du luxe que découvrent les deux visiteurs. Quel point de vue est ici adopté ?

Quelques procédés d'amplification

Grammaticaux ou stylistiques, les procédés d'amplification permettent de renforcer le propos :
– l'énumération et l'accumulation (énumération excessive ou interminable) ;
– la gradation (énumération suivant une progression croissante ou décroissante) ;
– la répétition ;
– l'anaphore (répétition d'un même mot ou expression en début de phrase) ;
– l'hyperbole (exagération).

❸ Quels procédés contribuent à exprimer le climat d'abondance miraculeuse qui règne dans la ville ? Comment l'impression de plénitude est-elle rendue ?

④ Pourquoi peut-on considérer l'Eldorado comme une utopie* ?

UNE PARODIE DU MERVEILLEUX

⑤ Comment se manifeste, dans cet extrait, l'intention parodique de Voltaire ?

> * *Utopie* : mot forgé par Thomas More en 1516 (du grec *ou-topos*, « non-lieu ») pour désigner la société idéale qu'il décrit dans son œuvre *Utopia*. Elle reflète un monde imaginaire, idéal, où règne le bonheur.

Le narrateur intrusif

On repère les **intrusions du narrateur** aux marques de subjectivité dans le récit : modalisateurs, lexique, temps verbaux. Diderot, dans *Jacques le Fataliste et son Maître*, intervient dès l'*incipit* en narrateur souverain : « *Vous voyez, lecteur,* [...] *qu'il ne tiendrait qu'à moi de vous faire attendre un an, deux ans, trois ans, le récit des amours de Jacques.* »

⑥ Quelle position le narrateur adopte-t-il vis-à-vis de Candide et de Cacambo ? Commentez leurs réactions et leurs discours rapportés.

⑦ Relevez les indices d'une complicité du narrateur avec le lecteur. Quel message nous est ainsi transmis ?

UNE IMAGE INVERSÉE DE LA RÉALITÉ

Les fonctions de l'utopie

Si elle fait rêver, l'utopie a aussi une fonction critique essentielle. Image inversée de la réalité, elle est renversante et doit être décryptée.

⑧ Quel est le régime politique de l'Eldorado ? Montrez que la présentation du roi est un moyen, pour Voltaire, de critiquer son époque.

9 Comment qualifier les rapports sociaux dans ce pays idéal ? D'où vient l'impression d'harmonie dans cette société si différente de celle du XVIIIe siècle ?

10 En quoi l'utopie urbaine qui nous est présentée sert-elle aussi la critique de Voltaire ? Quelle valeur particulièrement chère aux Lumières la ville illustre-t-elle ?

UTOPIE ET DÉMESURE

11 Comment ce tableau évoquant un mythe, une scène biblique, représente-t-il aussi le monde que connaît le peintre ? Retrouve-t-on cette double narration dans le chapitre XVIII ?

Cf. document 1.

12 Quels personnages, dans le tableau et dans le conte (l. 120 à 179, pp. 75 à 77), font preuve d'une soif de pouvoir déraisonnable ? Qu'en déduisez-vous ?

Le vieillard recevant Candide
et Cacambo, gravure de Brunelleschi.

CHAPITRE DIX-NEUVIÈME

Ce qui leur arriva à Surinam[1], et comment Candide fit connaissance avec Martin

1 La première journée[2] de nos deux voyageurs fut assez agréable. Ils étaient encouragés par l'idée de se voir possesseurs de plus de trésors que l'Asie, l'Europe et l'Afrique n'en pouvaient rassembler. Candide, transporté[3], écrivit le nom de
5 Cunégonde sur les arbres. À la seconde journée, deux de leurs moutons s'enfoncèrent dans des marais, et y furent abîmés[4] avec leurs charges ; deux autres moutons moururent de fatigue quelques jours après ; sept ou huit périrent ensuite de faim dans un désert ; d'autres tombèrent au bout de quelques jours
10 dans des précipices. Enfin, après cent jours de marche, il ne leur resta que deux moutons. Candide dit à Cacambo : « Mon ami, vous voyez comme les richesses de ce monde sont périssables ; il n'y a rien de solide que la vertu, et le bonheur de revoir mademoiselle Cunégonde. – Je l'avoue, dit Cacambo ;
15 mais il nous reste encore deux moutons avec plus de trésors que n'en aura jamais le roi d'Espagne ; et je vois de loin une ville que je soupçonne être Surinam, appartenante[5] aux Hollandais. Nous sommes au bout de nos peines et au commencement de notre félicité. »
20 En approchant de la ville, ils rencontrèrent un nègre étendu par terre, n'ayant plus que la moitié de son habit, c'est-à-dire d'un[6] caleçon de toile bleue ; il manquait à ce pauvre homme la jambe gauche et la main droite. « Eh ! mon Dieu ! lui dit Candide en hollandais, que fais-tu là, mon ami, dans l'état
25 horrible où je te vois ? – J'attends mon maître, M. Vanderden-

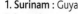

1. **Surinam :** Guyane hollandaise.
2. **journée :** voyage effectué en un jour.
3. **transporté :** enthousiasmé.
4. **abîmés :** engloutis.
5. **appartenante :** appartenant.
6. **d'un :** la moitié d'un.

dur, le fameux négociant, répondit le nègre. – Est-ce M. Vanderdendur, dit Candide, qui t'a traité ainsi ? – Oui, monsieur, dit le nègre, c'est l'usage. On nous donne un caleçon de toile pour tout vêtement deux fois l'année. Quand nous travaillons aux sucreries, et que la meule nous attrape le doigt, on nous coupe la main[1] ; quand nous voulons nous enfuir, on nous coupe la jambe[2] : je me suis trouvé dans les deux cas. C'est à ce prix que vous mangez du sucre en Europe. Cependant, lorsque ma mère me vendit dix écus patagons[3] sur la côte de Guinée, elle me disait : "Mon cher enfant, bénis nos fétiches[4], adore-les toujours, ils te feront vivre heureux ; tu as l'honneur d'être esclave de nos seigneurs les blancs, et tu fais par là la fortune de ton père et de ta mère." Hélas ! je ne sais pas si j'ai fait leur fortune, mais ils n'ont pas fait la mienne. Les chiens, les singes et les perroquets sont mille fois moins malheureux que nous ; les fétiches hollandais[5] qui m'ont converti me disent tous les dimanches que nous sommes tous enfants d'Adam, blancs et noirs. Je ne suis pas généalogiste ; mais si ces prêcheurs disent vrai, nous sommes tous cousins issus de germains[6]. Or vous m'avouerez qu'on ne peut pas en user avec ses parents d'une manière plus horrible.

– Ô Pangloss ! s'écria Candide, tu n'avais pas deviné cette abomination[7] ; c'en est fait, il faudra qu'à la fin je renonce à ton optimisme. – Qu'est-ce qu'optimisme ? disait Cacambo. – Hélas ! dit Candide, c'est la rage de soutenir que tout est bien quand on est mal» ; et il versait des larmes en regardant son nègre ; et en pleurant, il entra dans Surinam[8].

Notes

1. **on nous coupe la main** : on évite ainsi la gangrène.
2. **on nous coupe la jambe** : allusion au *Code noir* promulgué par Louis XIV.
3. **écus patagons** : monnaie espagnole.
4. **fétiches** : objets de culte.
5. **fétiches hollandais** : pasteurs.

6. **cousins issus de germains** : cousins germains.
7. **abomination** : chose horrible.
8. **et en pleurant, il entra dans Surinam** : réplique empruntée à la Bible (saint Luc : «*le Christ, en pleurant, entra dans Jérusalem*»).

La première chose dont ils s'informent, c'est s'il n'y a point
au port quelque vaisseau qu'on pût envoyer à Buenos-Ayres.
55 Celui à qui ils s'adressèrent était justement un patron espagnol
qui s'offrit à faire avec eux un marché honnête. Il leur donna
rendez-vous dans un cabaret. Candide et le fidèle Cacambo
allèrent l'y attendre avec leurs deux moutons.

Candide, qui avait le cœur sur les lèvres, conta à l'Espagnol
60 toutes ses aventures, et lui avoua qu'il voulait enlever made-
moiselle Cunégonde. «Je me garderai bien de vous passer à
Buenos-Ayres, dit le patron ; je serais pendu, et vous aussi ; la
belle Cunégonde est la maîtresse favorite de monseigneur.»
Ce fut un coup de foudre pour Candide, il pleura longtemps ;
65 enfin il tira à part Cacambo. «Voici, mon cher ami, lui dit-il,
ce qu'il faut que tu fasses. Nous avons chacun dans nos poches
pour cinq ou six millions de diamants ; tu es plus habile que
moi ; va prendre mademoiselle Cunégonde à Buenos-Ayres. Si
le gouverneur fait quelque difficulté, donne-lui un million ;
70 s'il ne se rend pas, donne-lui-en deux ; tu n'as point tué d'in-
quisiteur, on ne se défiera[1] point de toi. J'équiperai un autre
vaisseau, j'irai t'attendre à Venise : c'est un pays libre où l'on
n'a rien à craindre ni des Bulgares, ni des Abares, ni des Juifs,
ni des inquisiteurs.» Cacambo applaudit à cette sage résolu-
75 tion. Il était au désespoir de se séparer d'un bon maître devenu
son ami intime ; mais le plaisir de lui être utile l'emporta sur la
douleur de le quitter. Ils s'embrassèrent en versant des larmes :
Candide lui recommanda de ne point oublier la bonne vieille.
Cacambo partit dès le jour même : c'était un très bon homme
80 que ce Cacambo.

Candide resta encore quelque temps à Surinam, et attendit
qu'un autre patron voulût le mener en Italie, lui et les deux
moutons qui lui restaient. Il prit des domestiques, et acheta
tout ce qui lui était nécessaire pour un long voyage ; enfin

Note 1. défiera : méfiera.

85 monsieur Vanderdendur, maître d'un gros vaisseau, vint se présenter à lui. «Combien voulez-vous, demanda-t-il à cet homme, pour me mener en droiture[1] à Venise, moi, mes gens, mon bagage, et les deux moutons que voilà?» Le patron s'accorda à dix mille piastres[2]; Candide n'hésita pas.

90 «Oh! oh! dit à part soi[3] le prudent Vanderdendur, cet étranger donne dix mille piastres tout d'un coup! il faut qu'il soit bien riche.» Puis, revenant un moment après, il signifia[4] qu'il ne pouvait partir à moins de vingt mille. «Eh bien vous les aurez, dit Candide.

95 — Ouais, se dit tout bas le marchand, cet homme donne vingt mille piastres aussi aisément[5] que dix mille.» Il revint encore, et dit qu'il ne pouvait le conduire à Venise à moins de trente mille piastres. «Vous en aurez donc trente mille, répondit Candide.

100 — Oh! oh! se dit encore le marchand hollandais, trente mille piastres ne coûtent rien à cet homme-ci; sans doute les deux moutons portent des trésors immenses: n'insistons pas davantage; faisons-nous d'abord payer les trente mille piastres, et puis nous verrons.» Candide vendit deux petits diamants,
105 dont le moindre valait plus que tout l'argent que demandait le patron. Il le paya d'avance. Les deux moutons furent embarqués. Candide suivait dans un petit bateau pour joindre le vaisseau à la rade[6]; le patron prend son temps[7], met à la voile, démarre[8]; le vent le favorise. Candide, éperdu et stupéfait, le
110 perd bientôt de vue. «Hélas! cria-t-il, voilà un tour digne de l'ancien monde.» Il retourne au rivage, abîmé[9] dans la dou-

leur : car enfin il avait perdu de quoi faire la fortune de vingt monarques[1].

115 Il se transporte chez le juge hollandais ; et, comme il était un peu troublé, il frappe rudement à la porte ; il entre, expose son aventure, et crie un peu plus haut qu'il ne convenait. Le juge commença par lui faire payer dix mille piastres pour le bruit qu'il avait fait ; ensuite il l'écouta patiemment, lui promit d'examiner son affaire sitôt que le marchand serait revenu, et 120 se fit payer dix mille autres piastres pour les frais de l'audience.

Ce procédé acheva de désespérer Candide ; il avait à la vérité essuyé des malheurs mille fois plus douloureux ; mais le sang-froid du juge, et celui du patron dont il était volé, alluma sa bile[2], et le plongea dans une noire mélancolie. La méchanceté 125 des hommes se présentait à son esprit dans toute sa laideur ; il ne se nourrissait que d'idées tristes. Enfin un vaisseau français étant sur le point de partir pour Bordeaux[3], comme il n'avait plus de moutons chargés de diamants à embarquer, il loua une chambre du vaisseau à juste prix, et fit signifier dans la ville 130 qu'il payerait le passage, la nourriture, et donnerait deux mille piastres à un honnête homme[4] qui voudrait faire le voyage avec lui, à condition que cet homme serait le plus dégoûté de son état et le plus malheureux de la province.

Il se présenta une foule de prétendants qu'une flotte n'aurait 135 pu contenir. Candide voulant choisir entre les plus apparents[5], il distingua une vingtaine de personnes qui lui paraissaient assez sociables, et qui toutes prétendaient mériter la préférence. Il les assembla dans son cabaret, et leur donna à souper, à condition que chacun ferait serment de raconter fidèlement 140 son histoire, promettant de choisir celui qui lui paraîtrait le

Notes

1. **monarques** : rois.
2. **bile** : une des humeurs (secrétée par le foie), jugée par les Anciens responsable de la colère et de la mélancolie.
3. **Bordeaux** : un des pôles du commerce triangulaire.
4. **honnête homme** : homme civil et poli.
5. **apparents** : d'apparence la plus distinguée.

plus à plaindre et le plus mécontent de son état, à plus juste titre, et de donner aux autres quelques gratifications[1].

La séance dura jusqu'à quatre heures du matin. Candide, en écoutant toutes les aventures, se ressouvenait de ce que lui avait dit la vieille en allant à Buenos-Ayres, et de la gageure[2] qu'elle avait faite, qu'il n'y avait personne sur le vaisseau à qui il ne fût arrivé de très grands malheurs. Il songeait à Pangloss à chaque aventure qu'on lui contait. «Ce Pangloss, disait-il, serait bien embarrassé à démontrer son système. Je voudrais qu'il fût ici. Certainement si tout va bien, c'est dans Eldorado, et non pas dans le reste de la terre. » Enfin il se détermina en faveur d'un pauvre savant qui avait travaillé dix ans pour les libraires à Amsterdam. Il jugea qu'il n'y avait point de métier au monde dont on dût être plus dégoûté.

Ce savant, qui était d'ailleurs un bon homme, avait été volé par sa femme, battu par son fils, et abandonné de sa fille, qui s'était fait enlever par un Portugais. Il venait d'être privé d'un petit emploi duquel il subsistait[3]; et les prédicants[4] de Surinam le persécutaient parce qu'ils le prenaient pour un socinien[5]. Il faut avouer que les autres étaient pour le moins aussi malheureux que lui; mais Candide espérait que le savant le désennuierait[6] dans le voyage. Tous ses autres rivaux trouvèrent que Candide leur faisait une grande injustice : mais il les apaisa en leur donnant à chacun cent piastres.

L'esclave de Surinam

Lecture analytique de l'extrait (p. 81, l. 20, à p. 82, l. 52)

L'ART DE LA MISE EN SCÈNE

Un apologue

Un apologue est un bref récit allégorique contenant un enseignement moral. Il implique un double niveau de lecture correspondant à sa double fonction : plaire et instruire.

1 Quel est l'intérêt du détour par l'apologue ?

2 Comment le discours de l'esclave donne-t-il l'impression qu'il est passif et peu concerné par son terrible destin ?

UN PLAIDOYER EFFICACE

3 Étudiez l'évolution des protagonistes en vous fondant, dans leurs discours, sur les procédés rhétoriques et le lexique des sentiments.

4 Repérez les jeux de symétrie. En quoi servent-ils la critique ? Que crée l'effet d'emboîtement des discours ?

Les procédés de l'ironie

L'ironie consiste à créer un décalage entre ce que l'on pense et ce que l'on dit. Pour y parvenir, on utilise des procédés tels que l'antiphrase, la litote, l'hyperbole ou le paradoxe.

5 Quelle est la portée des traits d'humour et des décalages ironiques ?

LES CIBLES DE LA CRITIQUE

6 Montrez que la description de l'esclave est, à elle seule, une dénonciation. En quoi le traitement qui lui a été infligé est-il une négation de la personne ?

7 Relevez les allusions au commerce triangulaire. Comment se met en place l'exploitation de la souffrance humaine ?

8 Montrez que le discours de la mère relève de plusieurs registres. En quoi témoigne-t-il de la force corruptrice de l'argent ?

9 Dans quelle mesure ce passage est-il une critique de la religion ? Sur quels procédés s'appuie cette critique ?

10 En quoi cet extrait est-il une réponse à Pangloss et une critique de sa philosophie ?

La traite des Noirs.

CHAPITRE VINGTIÈME

CE QUI ARRIVA SUR MER À CANDIDE ET À MARTIN

1 Le vieux savant, qui s'appelait Martin, s'embarqua donc
pour Bordeaux avec Candide. L'un et l'autre avaient beaucoup
vu et beaucoup souffert ; et, quand le vaisseau aurait dû faire
voile de Surinam au Japon par le cap de Bonne-Espérance, ils
5 auraient eu de quoi s'entretenir du mal moral et du mal phy-
sique pendant tout le voyage.

Cependant Candide avait un grand avantage sur Martin,
c'est qu'il espérait toujours revoir mademoiselle Cunégonde,
et que Martin n'avait rien à espérer ; de plus il avait de l'or et
10 des diamants ; et quoiqu'il eût perdu cent gros moutons rouges
chargés des plus grands trésors de la terre, quoiqu'il eût tou-
jours sur le cœur la friponnerie[1] du patron hollandais, cepen-
dant, quand il songeait à ce qui lui restait dans ses poches, et
quand il parlait de Cunégonde, surtout à la fin du repas, il
15 penchait alors pour le système de Pangloss.

« Mais vous, monsieur Martin, dit-il au savant, que pensez-
vous de tout cela ? Quelle est votre idée sur le mal moral et
le mal physique ? – Monsieur, répondit Martin, mes prêtres
m'ont accusé d'être socinien ; mais la vérité du fait est que je
20 suis manichéen[2]. – Vous vous moquez de moi, dit Candide ; il
n'y a plus de manichéens dans le monde. – Il y a moi, dit Mar-
tin ; je ne sais qu'y faire, mais je ne peux penser autrement. – Il
faut que vous ayez le diable au corps, dit Candide. – Il se mêle
si fort des affaires de ce monde, dit Martin, qu'il pourrait bien

Notes

1. la friponnerie : l'escroquerie.
2. manichéen : disciple de Manès (philosophe perse, IIIe s. ap. J.-C.), qui explique
le monde par l'opposition du Bien et du Mal.

être dans mon corps, comme partout ailleurs; mais je vous
avoue qu'en jetant la vue sur ce globe, ou plutôt sur ce glo-
bule[1], je pense que Dieu l'a abandonné à quelque être malfai-
sant; j'en excepte toujours Eldorado. Je n'ai guère vu de ville
qui ne désirât la ruine de la ville voisine, point de famille qui
30 ne voulût exterminer quelque autre famille. Partout les faibles
ont en exécration les puissants devant lesquels ils rampent, et
les puissants les traitent comme des troupeaux dont on vend la
laine et la chair. Un million d'assassins enrégimentés[2], courant
d'un bout de l'Europe à l'autre, exerce le meurtre et le brigan-
35 dage avec discipline pour gagner son pain, parce qu'il n'a pas
de métier plus honnête; et dans les villes qui paraissent jouir
de la paix, et où les arts fleurissent, les hommes sont dévorés
de plus d'envie, de soins[3] et d'inquiétudes qu'une ville assié-
gée n'éprouve de fléaux. Les chagrins secrets sont encore plus
40 cruels que les misères publiques[4]. En un mot, j'en ai tant vu et
tant éprouvé que je suis manichéen.

– Il y a pourtant du bon, répliquait Candide. – Cela peut
être, disait Martin, mais je ne le connais pas.»

Au milieu de cette dispute, on entendit un bruit de canon.
45 Le bruit redouble de moment en moment. Chacun prend sa
lunette. On aperçoit deux vaisseaux qui combattaient à la dis-
tance d'environ trois milles[5]. Le vent les amena l'un et l'autre si
près du vaisseau français, qu'on eut le plaisir de voir le combat
tout à son aise. Enfin, l'un des deux vaisseaux lâcha à l'autre
50 une bordée[6] si bas et si juste, qu'il le coula à fond. Candide et
Martin aperçurent distinctement une centaine d'hommes sur
le tillac du vaisseau qui s'enfonçait; ils levaient tous les mains

Notes

1. **globule** : petit globe.
2. **enrégimentés** : appartenant à l'armée.
3. **soins** : soucis.
4. **publiques** : ici, « partagées par tous ».

5. **trois milles** : environ 6 km.
6. **bordée** : tir simultané de tous les
canons installés sur un côté du navire.

au ciel, et jetaient des clameurs effroyables ; en un moment tout fut englouti.

55 « Eh bien, dit Martin, voilà comme les hommes se traitent les uns les autres. – Il est vrai, dit Candide, qu'il y a quelque chose de diabolique dans cette affaire. » En parlant ainsi il aperçut je ne sais quoi d'un rouge éclatant qui nageait auprès de son vaisseau. On détacha la chaloupe pour voir ce que ce pouvait 60 être, c'était un de ses moutons. Candide eut plus de joie de retrouver ce mouton, qu'il n'avait été affligé d'en perdre cent tous chargés de gros diamants d'Eldorado.

Le capitaine français aperçut bientôt que le capitaine du vaisseau submergeant était espagnol, et que celui du vaisseau 65 submergé était un pirate hollandais ; c'était celui-là même qui avait volé Candide. Les richesses immenses dont ce scélérat[1] s'était emparé furent ensevelies[2] avec lui dans la mer, et il n'y eut qu'un mouton de sauvé. « Vous voyez, dit Candide à Martin, que le crime est puni quelquefois ; ce coquin de patron 70 hollandais a eu le sort qu'il méritait. – Oui, dit Martin ; mais fallait-il que les passagers qui étaient sur son vaisseau, périssent aussi ? Dieu a puni ce fripon, le diable a noyé les autres. »

Cependant le vaisseau français et l'espagnol continuèrent leur route, et Candide continua ses conversations avec Mar-75 tin. Ils disputèrent quinze jours de suite, et au bout de quinze jours ils étaient aussi avancés que le premier. Mais enfin ils parlaient, ils se communiquaient des idées, ils se consolaient. Candide caressait son mouton. « Puisque je t'ai retrouvé, dit-il, je pourrai bien retrouver Cunégonde. »

Notes

1. **scélérat** : bandit, fripon. 2. **ensevelies** : englouties.

CHAPITRE VINGT ET UNIÈME

CANDIDE ET MARTIN APPROCHENT DES CÔTES DE FRANCE ET RAISONNENT[1]

1 On aperçut enfin les côtes de France. «Avez-vous jamais été en France, monsieur Martin? dit Candide. – Oui, dit Martin, j'ai parcouru plusieurs provinces. Il y en a où la moitié des habitants est folle, quelques-unes où l'on est trop rusé, d'autres

5 où l'on est communément[2] assez doux et assez bête, d'autres où l'on fait le bel esprit; et, dans toutes, la principale occupation est l'amour; la seconde, de médire[3]; et la troisième, de dire des sottises. – Mais, monsieur Martin, avez-vous vu Paris? – Oui, j'ai vu Paris; il tient de toutes ces espèces-là; c'est un chaos,

10 c'est une presse[4] dans laquelle tout le monde cherche le plaisir, et où presque personne ne le trouve, du moins à ce qu'il m'a paru. J'y ai séjourné peu; j'y fus volé, en arrivant, de tout ce que j'avais, par des filous, à la foire Saint-Germain; on me prit moi-même pour un voleur, et je fus huit jours en prison;

15 après quoi je me fis correcteur d'imprimerie pour gagner de quoi retourner à pied en Hollande. Je connus la canaille écrivante, la canaille cabalante[5], et la canaille convulsionnaire[6]. On dit qu'il y a des gens fort polis dans cette ville-là : je le veux croire.

20 – Pour moi, je n'ai nulle curiosité de voir la France, dit Candide; vous devinez aisément que quand on a passé un mois dans Eldorado, on ne se soucie plus de rien voir sur la terre que

Notes

1. **raisonnent** : discutent philosophie.
2. **communément** : ici, « habituellement ».
3. **médire** : critiquer, dénigrer.
4. **presse** : foule agitée.

5. **cabalante** : se rapporte aux religieux, ici aux jésuites, qui se lancent dans des controverses (les cabales).
6. **convulsionnaire** : mystique ou fanatique souffrant de convulsions. Allusion aux jansénistes.

mademoiselle Cunégonde : je vais l'attendre à Venise ; nous traverserons la France pour aller en Italie ; ne m'accompagne-
25 rez-vous pas ? – Très volontiers, dit Martin ; on dit que Venise n'est bonne que pour les nobles vénitiens, mais que cependant on y reçoit très bien les étrangers quand ils ont beaucoup d'argent ; je n'en ai point ; vous en avez, je vous suivrai partout. – À propos, dit Candide, pensez-vous que la terre ait été ori-
30 ginairement une mer, comme on l'assure dans ce gros livre[1] qui appartient au capitaine du vaisseau ? – Je n'en crois rien du tout, dit Martin, non plus que toutes les rêveries qu'on nous débite depuis quelque temps. – Mais à quelle fin ce monde a-t-il donc été formé ? dit Candide. – Pour nous faire enra-
35 ger, répondit Martin. – N'êtes-vous pas bien étonné, continua Candide, de l'amour que ces deux filles du pays des Oreillons avaient pour ces deux singes, et dont je vous ai conté l'aventure ? – Point du tout, dit Martin ; je ne vois pas ce que cette passion a d'étrange : j'ai tant vu de choses extraordinaires qu'il
40 n'y a plus rien d'extraordinaire. – Croyez-vous, dit Candide, que les hommes se soient toujours mutuellement massacrés comme ils font aujourd'hui ? qu'ils aient toujours été menteurs, fourbes[2], perfides[3], ingrats, brigands, faibles, volages[4], lâches, envieux, gourmands, ivrognes, avares, ambitieux, san-
45 guinaires, calomniateurs[5], débauchés, fanatiques, hypocrites et sots ? – Croyez-vous, dit Martin, que les éperviers aient toujours mangé des pigeons quand ils en ont trouvé ? – Oui, sans doute, dit Candide. – Eh bien ! dit Martin, si les éperviers ont toujours eu le même caractère, pourquoi voulez-vous que les
50 hommes aient changé le leur ? – Oh ! dit Candide, il y a bien de la différence, car le libre arbitre[6]… » En raisonnant ainsi, ils arrivèrent à Bordeaux.

Notes

1. **gros livre** : sans doute *La Théorie de la terre* de Buffon (1749).
2. **fourbes** : hypocrites.
3. **perfides** : sournois.

4. **volages** : infidèles.
5. **calomniateurs** : menteurs.
6. **libre arbitre** : faculté d'opérer un libre choix grâce à la volonté.

CHAPITRE VINGT-DEUXIÈME

Ce qui arriva en France à Candide et à Martin

1 Candide ne s'arrêta dans Bordeaux qu'autant de temps qu'il en fallait pour vendre quelques cailloux du Dorado, et pour s'accommoder d'une bonne chaise à deux places[1]; car il ne pouvait plus se passer de son philosophe Martin; il fut seu-
5 lement très fâché de se séparer de son mouton, qu'il laissa à l'Académie des sciences de Bordeaux, laquelle proposa pour le sujet du prix de cette année de trouver pourquoi la laine de ce mouton était rouge; et le prix fut adjugé à un savant du Nord[2], qui démontra par A, plus B, moins C, divisé par Z,
10 que le mouton devait être rouge, et mourir de la clavelée[3].

Cependant tous les voyageurs que Candide rencontra dans les cabarets de la route lui disaient : «Nous allons à Paris.» Cet empressement général lui donna enfin l'envie de voir cette capitale; ce n'était pas beaucoup se détourner du chemin de
15 Venise.

Il entra par le faubourg Saint-Marceau[4], et crut être dans le plus vilain village de la Vestphalie.

À peine Candide fut-il dans son auberge, qu'il fut attaqué d'une maladie légère, causée par ses fatigues. Comme il avait
20 au doigt un diamant énorme, et qu'on avait aperçu dans son équipage une cassette prodigieusement pesante, il eut aussitôt auprès de lui deux médecins qu'il n'avait pas mandés[5], quelques amis intimes qui ne le quittèrent pas, et deux dévotes[6] qui faisaient chauffer ses bouillons. Martin disait : «Je

Notes

1. s'accommoder d'une bonne chaise à deux places : louer une voiture confortable.
2. un savant du Nord : Maupertuis, qui s'était disputé avec Voltaire.

3. clavelée : maladie du mouton.
4. Saint-Marceau : quartier misérable du Sud de Paris.
5. mandés : demandés.
6. dévotes : personnes très pieuses.

²⁵ me souviens d'avoir été malade aussi à Paris dans mon premier voyage ; j'étais fort pauvre : aussi n'eus-je ni amis, ni dévotes, ni médecins, et je guéris. »

Cependant, à force de médecines[1] et de saignées[2], la maladie de Candide devint sérieuse. Un habitué[3] du quartier vint ³⁰ avec douceur lui demander un billet payable au porteur[4] pour l'autre monde : Candide n'en voulut rien faire. Les dévotes l'assurèrent que c'était une nouvelle mode ; Candide répondit qu'il n'était point homme à la mode. Martin voulut jeter l'habitué par les fenêtres. Le clerc[5] jura qu'on n'enterrerait point ³⁵ Candide. Martin jura qu'il enterrerait le clerc s'il continuait à les importuner[6]. La querelle s'échauffa : Martin le prit par les épaules et le chassa rudement ; ce qui causa un grand scandale, dont on fit un procès-verbal.

Candide guérit ; et pendant sa convalescence il eut très bonne ⁴⁰ compagnie à souper chez lui. On jouait gros jeu. Candide était tout étonné que jamais les as ne lui vinssent ; et Martin ne s'en étonnait pas.

Parmi ceux qui lui faisaient les honneurs de la ville, il y avait un petit abbé périgourdin[7], l'un de ces gens empressés, tou- ⁴⁵ jours alertes, toujours serviables, effrontés[8], caressants, accommodants, qui guettent les étrangers à leur passage, leur content l'histoire scandaleuse[9] de la ville, et leur offrent des plaisirs à tout prix. Celui-ci mena d'abord Candide et Martin à la comédie[10]. On y jouait une tragédie nouvelle. Candide se trouva ⁵⁰ placé auprès de quelques beaux esprits. Cela ne l'empêcha pas de pleurer à des scènes jouées parfaitement. Un des raison-

Notes

1. **médecines** : médicaments.
2. **saignées** : prélèvements de sang.
3. **habitué** : abréviation pour « prêtre habitué », affecté à une paroisse.
4. **billet payable au porteur** : allusion à des certificats de confession exigés par certains prêtres pour les enterrements.

5. **Le clerc** : l'ecclésiastique.
6. **importuner** : gêner.
7. **périgourdin** : du Périgord.
8. **effrontés** : très familiers.
9. **l'histoire scandaleuse** : les ragots.
10. **comédie** : ici, « théâtre ».

neurs qui étaient à ses côtés lui dit dans un entracte : «Vous avez grand tort de pleurer, cette actrice est fort mauvaise ; l'acteur qui joue avec elle est plus mauvais acteur encore ; la pièce
55 est encore plus mauvaise que les acteurs ; l'auteur ne sait pas un mot d'arabe, et cependant la scène est en Arabie ; et, de plus, c'est un homme qui ne croit pas aux idées innées[1] ; je vous apporterai demain vingt brochures contre lui. – Monsieur, combien avez-vous de pièces de théâtre en France ?» dit Candide à
60 l'abbé ; lequel répondit : «Cinq ou six mille. – C'est beaucoup, dit Candide ; combien y en a-t-il de bonnes ? – Quinze ou seize, répliqua l'autre. – C'est beaucoup», dit Martin.

Candide fut très content d'une actrice qui faisait la reine Élisabeth, dans une assez plate tragédie que l'on joue quelque-
65 fois. «Cette actrice, dit-il à Martin, me plaît beaucoup ; elle a un faux air de mademoiselle Cunégonde ; je serais bien aise de la saluer.» L'abbé périgourdin s'offrit à l'introduire chez elle. Candide, élevé en Allemagne, demanda quelle était l'étiquette[2], et comment on traitait en France les reines d'Angle-
70 terre. «Il faut distinguer, dit l'abbé ; en province, on les mène au cabaret ; à Paris, on les respecte quand elles sont belles, et on les jette à la voirie quand elles sont mortes. – Des reines à la voirie ! dit Candide. – Oui vraiment, dit Martin ; monsieur l'abbé a raison : j'étais à Paris quand mademoiselle Monime[3]
75 passa, comme on dit, de cette vie à l'autre ; on lui refusa ce que ces gens-ci appellent *les honneurs de la sépulture*, c'est-à-dire de pourrir avec tous les gueux du quartier dans un vilain cimetière ; elle fut enterrée toute seule de sa bande[4] au coin de la rue de Bourgogne ; ce qui dut lui faire une peine extrême, car

Notes

1. **idées innées** : idées que nous aurions déjà à la naissance, en opposition à l'acquis.
2. **l'étiquette** : le cérémonial en usage dans une Cour.

3. Adrienne Lecouvreur joua, en 1717, le personnage de Monime dans *Mithridate* de Racine et fut excommuniée et privée de sépulture chrétienne parce qu'elle était comédienne.
4. **seule de sa bande** : seule, à l'écart.

80 elle pensait très noblement. – Cela est bien impoli, dit Can-
dide. – Que voulez-vous ? dit Martin ; ces gens-ci sont ainsi
faits. Imaginez toutes les contradictions, toutes les incompa-
tibilités possibles, vous les verrez dans le gouvernement, dans
les tribunaux, dans les églises, dans les spectacles de cette drôle
85 de nation. – Est-il vrai qu'on rit toujours à Paris ? dit Candide.
– Oui, dit l'abbé ; mais c'est en enrageant : car on s'y plaint de
tout avec de grands éclats de rire ; même on y fait en riant les
actions les plus détestables.

– Quel est, dit Candide, ce gros cochon qui me disait tant
90 de mal de la pièce où j'ai tant pleuré, et des acteurs qui m'ont
fait tant de plaisir ? – C'est un mal vivant, répondit l'abbé,
qui gagne sa vie à dire du mal de toutes les pièces et de tous
les livres ; il hait quiconque réussit, comme les eunuques
haïssent les jouissants ; c'est un de ces serpents de la littérature
95 qui se nourrissent de fange et de venin : c'est un folliculaire[1].
– Qu'appelez-vous folliculaire ? dit Candide. – C'est, dit l'ab-
bé, un faiseur de feuilles[2], un *Fréron*[3]. »

C'est ainsi que Candide, Martin et le Périgourdin raison-
naient sur l'escalier, en voyant défiler le monde au sortir de la
100 pièce. « Quoique je sois très empressé de revoir mademoiselle
Cunégonde, dit Candide, je voudrais pourtant souper avec
mademoiselle Clairon[4], car elle m'a paru admirable. »

L'abbé n'était pas homme à approcher de mademoiselle Clai-
ron qui ne voyait que bonne compagnie. « Elle est engagée
105 pour[5] ce soir, dit-il ; mais j'aurai l'honneur de vous mener chez
une dame de qualité, et là vous connaîtrez Paris comme si
vous y aviez été quatre ans. »

Notes

1. **folliculaire** : mauvais et méchant
journaliste (néologisme de Voltaire).
2. **feuilles** : journaux.
3. Élie Fréron, rédacteur de *L'Année
littéraire*, adversaire des philosophes
des Lumières.

4. **mademoiselle Clairon** : célèbre actrice
très admirée par Voltaire et Diderot.
5. **engagée pour** : occupée.

Candide, qui était naturellement curieux, se laissa mener chez la dame, au fond du faubourg Saint-Honoré ; on y était
110 occupé d'un pharaon[1] ; douze tristes pontes[2] tenaient chacun en main un petit livre de cartes, registre cornu[3] de leurs infortunes. Un profond silence régnait, la pâleur était sur le front des pontes, l'inquiétude sur celui du banquier ; et la dame du logis, assise auprès de ce banquier impitoyable, remarquait
115 avec des yeux de lynx tous les parolis, tous les sept-et-le-va[4] de campagne, dont chaque joueur cornait ses cartes ; elle les faisait décorner avec une attention sévère, mais polie, et ne se fâchait point, de peur de perdre ses pratiques[5]. La dame se faisait appeler la marquise de Parolignac. Sa fille, âgée de quinze
120 ans, était au nombre des pontes, et avertissait d'un clin d'œil des friponneries de ces pauvres gens qui tâchaient de réparer les cruautés du sort. L'abbé périgourdin, Candide et Martin entrèrent ; personne ne se leva, ni les salua, ni les regarda ; tous étaient profondément occupés de leurs cartes. « Madame la ba-
125 ronne de Thunder-ten-tronckh était plus civile », dit Candide.
Cependant l'abbé s'approcha de l'oreille de la marquise, qui se leva à moitié, honora Candide d'un sourire gracieux, et Martin d'un air de tête tout à fait noble ; elle fit donner un siège et un jeu de cartes à Candide, qui perdit cinquante mille
130 francs en deux tailles[6] : après quoi on soupa très gaiement ; et tout le monde était étonné que Candide ne fût pas ému de sa perte ; les laquais disaient entre eux, dans leur langage de laquais : « Il faut que ce soit quelque milord[7] anglais. »
Le souper fut comme la plupart des soupers de Paris : d'abord
135 du silence, ensuite un bruit de paroles qu'on ne distingue

Notes

1. **pharaon** : jeu de cartes.
2. **pontes** : joueurs.
3. **registre cornu** : le joueur corne sa carte au moment de la mise.

4. **parolis, sept-et-le-va** : lexique propre au pharaon.
5. **pratiques** : clients.
6. **tailles** : séries complètes de coups.
7. **milord** : noble anglais.

point, puis des plaisanteries dont la plupart sont insipides[1], de fausses nouvelles, de mauvais raisonnements, un peu de politique, et beaucoup de médisance ; on parla même de livres nouveaux. «Avez-vous vu, dit l'abbé périgourdin, le roman du sieur Gauchat[2], docteur en théologie[3] ? – Oui, répondit un des convives ; mais je n'ai pu l'achever. Nous avons une foule d'écrits impertinents ; mais tous ensemble n'approchent pas de l'impertinence de Gauchat, docteur en théologie ; je suis si rassasié de cette immensité de détestables livres qui nous inondent que je me suis mis à ponter au pharaon. – Et les *Mélanges* de l'archidiacre[4] T[5]..., qu'en dites-vous ? dit l'abbé. – Ah! dit madame de Parolignac, l'ennuyeux mortel! comme il vous dit curieusement[6] ce que tout le monde sait! comme il discute pesamment ce qui ne vaut pas la peine d'être remarqué légèrement; comme il s'approprie, sans esprit, l'esprit des autres! comme il gâte ce qu'il pille! comme il me dégoûte! mais il ne me dégoûtera plus; c'est assez d'avoir lu quelques pages de l'archidiacre.»

Il y avait à table un homme savant et de goût qui appuya ce que disait la marquise. On parla ensuite de tragédies ; la dame demanda pourquoi il y avait des tragédies qu'on jouait quelquefois, et qu'on ne pouvait lire. L'homme de goût expliqua très bien comment une pièce pouvait avoir quelque intérêt, et n'avoir presque aucun mérite ; il prouva en peu de mots que ce n'était pas assez d'amener une ou deux de ces situations qu'on trouve dans tous les romans, et qui séduisent toujours les spectateurs, mais qu'il faut être neuf sans être bizarre, souvent sublime et toujours naturel ; connaître le cœur humain et le faire parler ; être grand poète sans que jamais aucun personnage de

la pièce paraisse poète ; savoir parfaitement sa langue, la parler avec pureté, avec une harmonie continue, sans que jamais la rime coûte rien au sens. « Quiconque, ajouta-t-il, n'observe pas toutes ces règles peut faire une ou deux tragédies applaudies au théâtre, mais il ne sera jamais compté au rang des bons écrivains ; il y a très peu de bonnes tragédies : les unes sont des idylles[1] en dialogues bien écrits et bien rimés ; les autres, des raisonnements politiques qui endorment, ou des amplifications[2] qui rebutent ; les autres, des rêves d'énergumène[3], en style barbare, des propos interrompus, de longues apostrophes[4] aux dieux, parce qu'on ne sait point parler aux hommes, des maximes[5] fausses, des lieux communs ampoulés[6]. »

Candide écouta ce propos avec attention, et conçut une grande idée du discoureur ; et, comme la marquise avait eu soin de le placer à côté d'elle, il s'approcha de son oreille, et prit la liberté de lui demander qui était cet homme qui parlait si bien. « C'est un savant, dit la dame, qui ne ponte point, et que l'abbé m'amène quelquefois à souper : il se connaît parfaitement en tragédies et en livres, et il a fait une tragédie sifflée[7], et un livre dont on n'a jamais vu hors de la boutique de son libraire qu'un exemplaire, qu'il m'a dédié. – Le grand homme ! dit Candide, c'est un autre Pangloss. »

Alors, se tournant vers lui, il lui dit : « Monsieur, vous pensez, sans doute, que tout est au mieux dans le monde physique et dans le moral, et que rien ne pouvait être autrement ? – Moi, monsieur, lui répondit le savant, je ne pense rien de tout cela : je trouve que tout va de travers chez nous ; que personne ne sait ni quel est son rang, ni quelle est sa charge, ni ce qu'il fait, ni ce qu'il doit faire, et qu'excepté le souper, qui est assez gai,

Notes

1. **idylles** : poèmes d'amour pastoral.
2. **amplifications** : développements.
3. **énergumène** : personne agitée.
4. **apostrophes** : appels.
5. **maximes** : phrases exprimant des vérités générales.
6. **lieux communs ampoulés** : banalités exprimées avec prétention.
7. **sifflée** : huée par le public.

et où il paraît assez d'union[1], tout le reste du temps se passe en
195 querelles impertinentes : jansénistes[2] contre molinistes[3], gens
du parlement contre gens d'église, gens de lettres contre gens
de lettres, courtisans contre courtisans, financiers contre le
peuple, femmes contre maris, parents contre parents ; c'est une
guerre éternelle. »
200 Candide lui répliqua : « J'ai vu pis : mais un sage, qui depuis
a eu le malheur d'être pendu, m'apprit que tout cela est à mer-
veille : ce sont des ombres à un beau tableau. – Votre pendu
se moquait du monde, dit Martin ; vos ombres sont des taches
horribles. – Ce sont les hommes qui font les taches, dit Can-
205 dide, et ils ne peuvent pas s'en dispenser[4]. – Ce n'est donc pas
leur faute, dit Martin. » La plupart des pontes, qui n'enten-
daient rien à ce langage, buvaient ; et Martin raisonna avec
le savant, et Candide raconta une partie de ses aventures à la
dame du logis.
210 Après souper, la marquise mena Candide dans son cabinet,
et le fit asseoir sur un canapé. « Eh bien, lui dit-elle, vous ai-
mez donc toujours éperdument mademoiselle Cunégonde de
Thunder-ten-tronckh ? – Oui, madame », répondit Candide.
La marquise lui répliqua avec un sourire tendre : « Vous me
215 répondez comme un jeune homme de Vestphalie ; un Français
m'aurait dit : "Il est vrai que j'ai aimé mademoiselle Cuné-
gonde ; mais, en vous voyant, madame, je crains de ne la plus
aimer." – Hélas ! madame, dit Candide, je répondrai comme
vous voudrez. – Votre passion pour elle, dit la marquise, a
220 commencé en ramassant son mouchoir ; je veux que vous ra-
massiez ma jarretière. – De tout mon cœur », dit Candide ; et
il la ramassa. « Mais je veux que vous me la remettiez », dit

Notes

1. **d'union** : ici, « d'harmonie ».
2. **jansénistes** : disciples de Jansénius
(1585-1638) croyant à la prédestination.
3. **molinistes** : jésuites, disciples de
Molina (1536-1600). Ils s'opposent

aux jansénistes par leur théorie du libre
arbitre.
4. **s'en dispenser** : s'en passer.

la dame; et Candide la lui remit. «Voyez-vous, dit la dame, vous êtes étranger; je fais quelquefois languir[1] mes amants de Paris quinze jours, mais je me rends à vous dès la première nuit, parce qu'il faut faire les honneurs de son pays à un jeune homme de Vestphalie.» La belle, ayant aperçu deux énormes diamants aux deux mains de son jeune étranger, les loua de si bonne foi que des doigts de Candide ils passèrent aux doigts de la marquise.

Candide, en s'en retournant avec son abbé périgourdin, sentit quelques remords d'avoir fait une infidélité à mademoiselle Cunégonde; monsieur l'abbé entra dans sa peine; il n'avait qu'une légère part aux cinquante mille livres perdues au jeu par Candide, et à la valeur des deux brillants moitié donnés, moitié extorqués. Son dessein était de profiter, autant qu'il le pourrait, des avantages que la connaissance de Candide pouvait lui procurer. Il lui parla beaucoup de Cunégonde, et Candide lui dit qu'il demanderait bien pardon à cette belle de son infidélité, quand il la verrait à Venise.

Le Périgourdin redoublait de politesses et d'attentions, et prenait un intérêt tendre à tout ce que Candide disait, à tout ce qu'il faisait, à tout ce qu'il voulait faire. «Vous avez donc, monsieur, lui dit-il, un rendez-vous à Venise? – Oui, monsieur l'abbé, dit Candide; il faut absolument que j'aille trouver mademoiselle Cunégonde.» Alors, engagé par le plaisir de parler de ce qu'il aimait, il conta, selon son usage, une partie de ses aventures avec cette illustre Vestphalienne.

«Je crois, dit l'abbé, que mademoiselle Cunégonde a bien de l'esprit, et qu'elle écrit des lettres charmantes. – Je n'en ai jamais reçu, dit Candide; car, figurez-vous qu'ayant été chassé du château pour l'amour d'elle, je ne pus lui écrire; que bientôt après j'appris qu'elle était morte, qu'ensuite je la retrouvai,

1. languir : attendre.

et que je la perdis, et que je lui ai envoyé à deux mille cinq
255 cents lieues d'ici un exprès[1] dont j'attends la réponse. »

L'abbé écoutait attentivement, et paraissait un peu rêveur. Il
prit bientôt congé des deux étrangers, après les avoir tendre-
ment embrassés. Le lendemain Candide reçut à son réveil une
lettre conçue en ces termes :

260 « Monsieur mon très cher amant, il y a huit jours que je suis
malade en cette ville ; j'apprends que vous y êtes. Je volerais
dans vos bras si je pouvais remuer. J'ai su votre passage à Bor-
deaux ; j'y ai laissé le fidèle Cacambo et la vieille, qui doivent
bientôt me suivre. Le gouverneur de Buenos-Ayres a tout pris,
265 mais il me reste votre cœur. Venez ; votre présence me rendra
la vie ou me fera mourir de plaisir. »

Cette lettre charmante, cette lettre inespérée, transporta
Candide d'une joie inexprimable ; et la maladie de sa chère
Cunégonde l'accabla de douleur. Partagé entre ces deux senti-
270 ments, il prend son or et ses diamants, et se fait conduire avec
Martin à l'hôtel où mademoiselle Cunégonde demeurait. Il
entre en tremblant d'émotion, son cœur palpite, sa voix san-
glote ; il veut ouvrir les rideaux du lit ; il veut faire apporter
de la lumière. « Gardez-vous-en bien, lui dit la suivante ; la
275 lumière la tue », et soudain elle referme le rideau. « Ma chère
Cunégonde, dit Candide en pleurant, comment vous portez-
vous ? si vous ne pouvez me voir, parlez-moi du moins. – Elle
ne peut parler », dit la suivante[2]. La dame alors tire du lit une
main potelée que Candide arrose longtemps de ses larmes, et
280 qu'il remplit ensuite de diamants, en laissant un sac plein d'or
sur le fauteuil.

Au milieu de ses transports[3] arrive un exempt[4] suivi de l'abbé
périgourdin et d'une escouade[5]. « Voilà donc, dit-il, ces deux

étrangers suspects ? » Il les fait incontinent saisir, et ordonne
285 à ses braves[1] de les traîner en prison. «Ce n'est pas ainsi qu'on
traite les voyageurs dans le Dorado, dit Candide. – Je suis plus
manichéen que jamais, dit Martin. – Mais, monsieur, où nous
menez-vous ? dit Candide. – Dans un cul-de-basse-fosse[2] », dit
l'exempt.

290 Martin, ayant repris son sang-froid, jugea que la dame qui
se prétendait Cunégonde était une friponne, monsieur l'abbé
périgourdin un fripon qui avait abusé au plus vite de l'inno-
cence de Candide, et l'exempt un autre fripon dont on pouvait
aisément se débarrasser.

295 Plutôt que de s'exposer aux procédures de la justice, Can-
dide, éclairé par son conseil, et d'ailleurs toujours impatient de
revoir la véritable Cunégonde, propose à l'exempt trois petits
diamants d'environ trois mille pistoles chacun. «Ah ! mon-
sieur, lui dit l'homme au bâton d'ivoire[3], eussiez-vous commis
300 tous les crimes imaginables, vous êtes le plus honnête homme
du monde. Trois diamants ! chacun de trois mille pistoles !
Monsieur ! je me ferais tuer pour vous, au lieu de vous mener
dans un cachot. On arrête tous les étrangers, mais laissez-moi
faire ; j'ai un frère à Dieppe en Normandie ; je vais vous y
305 mener ; et si vous avez quelque diamant à lui donner, il aura
soin de vous comme moi-même. – Et pourquoi arrête-t-on
tous les étrangers ? » dit Candide. L'abbé périgourdin prit alors
la parole, et dit : «C'est parce qu'un gueux du pays d'Atrébatie[4]
a entendu dire des sottises, cela seul lui a fait commettre un
310 parricide[5], non pas tel que celui de 1610[6] au mois de mai, mais

Notes

1. **braves** : hommes de main.
2. **cul-de-basse-fosse** : cachot.
3. **bâton d'ivoire** : insigne de la fonction
d'officier de police.
4. **un gueux du pays d'Atrébatie** : un
misérable du pays d'Artois. Allusion à

Damiens, né à Arras, auteur d'un attentat
contre Louis XV en 1757.
5. **parricide** : ici, « régicide ».
6. **1610** : assassinat d'Henri IV par
Ravaillac.

tel que celui de 1594[1] au mois de décembre, et tel que plusieurs autres commis dans d'autres années et dans d'autres mois par d'autres gueux qui avaient entendu dire des sottises. »

L'exempt alors expliqua de quoi il s'agissait. «Ah! les monstres! s'écria Candide; quoi! de telles horreurs chez un peuple qui danse et qui chante! Ne pourrai-je sortir au plus vite de ce pays où des singes agacent des tigres? J'ai vu des ours dans mon pays; je n'ai vu des hommes que dans le Dorado. Au nom de Dieu, monsieur l'exempt, menez-moi à Venise, où je dois attendre mademoiselle Cunégonde. – Je ne peux vous mener qu'en Basse-Normandie », dit le barigel[2]. Aussitôt il lui fait ôter ses fers, dit qu'il s'est mépris[3], renvoie ses gens, et emmène à Dieppe Candide et Martin, et les laisse entre les mains de son frère. Il y avait un petit vaisseau hollandais à la rade. Le Normand, à l'aide de trois autres diamants devenu le plus serviable des hommes, embarque Candide et ses gens dans le vaisseau qui allait faire voile pour Portsmouth en Angleterre. Ce n'était pas le chemin de Venise; mais Candide croyait être délivré de l'enfer; et il comptait bien reprendre la route de Venise à la première occasion.

CHAPITRE VINGT-TROISIÈME

CANDIDE ET MARTIN VONT SUR LES CÔTES D'ANGLETERRE; CE QU'ILS Y VOIENT

«Ah! Pangloss! Pangloss! Ah! Martin! Martin! Ah! ma chère Cunégonde! qu'est-ce que ce monde-ci? disait Candide sur le vaisseau hollandais. – Quelque chose de bien fou et de bien abominable, répondait Martin. – Vous connaissez l'An-

Notes

1. 1594 : tentative d'assassinat d'Henri IV par Jean Châtel.

2. barigel : en italien, « officier de police ».
3. mépris : trompé.

gleterre ; y est-on aussi fou qu'en France ? – C'est une autre es-
pèce de folie, dit Martin. Vous savez que ces deux nations sont
en guerre pour quelques arpents[1] de neige vers le Canada, et
qu'elles dépensent pour cette belle guerre beaucoup plus que
tout le Canada ne vaut. De vous dire précisément s'il y a plus
de gens à lier[2] dans un pays que dans un autre, c'est ce que mes
faibles lumières[3] ne me permettent pas ; je sais seulement qu'en
général les gens que nous allons voir sont fort atrabilaires[4]. »

En causant ainsi ils abordèrent à Portsmouth ; une multi-
tude de peuple couvrait le rivage, et regardait attentivement
un assez gros homme qui était à genoux, les yeux bandés, sur
le tillac d'un des vaisseaux de la flotte ; quatre soldats, postés
vis-à-vis de cet homme, lui tirèrent chacun trois balles dans le
crâne, le plus paisiblement du monde ; et toute l'assemblée s'en
retourna extrêmement satisfaite. « Qu'est-ce donc que tout
ceci ? dit Candide ; et quel démon exerce partout son empire ? »
Il demanda qui était ce gros homme qu'on venait de tuer en
cérémonie. « C'est un amiral[5], lui répondit-on. – Et pourquoi
tuer cet amiral ? – C'est, lui dit-on, parce qu'il n'a pas fait tuer
assez de monde ; il a livré un combat à un amiral français, et
on a trouvé qu'il n'était pas assez près de lui. – Mais, dit Can-
dide, l'amiral français était aussi loin de l'amiral anglais que
celui-ci l'était de l'autre ! – Cela est incontestable, lui répliqua-
t-on ; mais dans ce pays-ci il est bon de tuer de temps en temps
un amiral pour encourager les autres. »

Candide fut si étourdi et si choqué de ce qu'il voyait et de
ce qu'il entendait qu'il ne voulut pas seulement mettre pied à
terre, et qu'il fit son marché[6] avec le patron hollandais (dût-il

Notes

1. L'arpent est une mesure agraire (un arpent équivaut environ à 4 000 m²).
2. gens à lier : fous à lier.
3. lumières : connaissances.
4. atrabilaires : mélancoliques et irritables.

5. John Bing a été exécuté le 16 mars 1757 ; on lui reprochait de ne pas avoir mis assez d'énergie dans son combat contre l'ennemi. Voltaire était intervenu en sa faveur.
6. fit son marché : passa un accord.

le voler comme celui de Surinam) pour le conduire sans délai
à Venise.

35 Le patron fut prêt au bout de deux jours. On côtoya la
France ; on passa à la vue de Lisbonne, et Candide frémit.
On entra dans le détroit et dans la Méditerranée ; enfin on
aborda à Venise. «Dieu soit loué ! dit Candide, en embrassant
Martin ; c'est ici que je reverrai la belle Cunégonde. Je compte
40 sur Cacambo comme sur moi-même. Tout est bien, tout va le
mieux qu'il soit possible.»

CHAPITRE VINGT-QUATRIÈME

DE PAQUETTE, ET DE FRÈRE GIROFLÉE

1 Dès qu'il fut à Venise, il fit chercher Cacambo dans tous
les cabarets, dans tous les cafés, chez toutes les filles de joie,
et ne le trouva point. Il envoyait tous les jours à la décou-
verte de tous les vaisseaux et de toutes les barques : nulles
5 nouvelles de Cacambo. «Quoi ! disait-il à Martin, j'ai eu le
temps de passer de Surinam à Bordeaux, d'aller de Bordeaux à
Paris, de Paris à Dieppe, de Dieppe à Portsmouth, de côtoyer
le Portugal et l'Espagne, de traverser toute la Méditerranée,
de passer quelques mois à Venise, et la belle Cunégonde n'est
10 point venue ! Je n'ai rencontré au lieu d'elle qu'une drôlesse[1]
et un abbé périgourdin ! Cunégonde est morte, sans doute ; je
n'ai plus qu'à mourir. Ah ! il valait mieux rester dans le paradis
du Dorado que de revenir dans cette maudite Europe. Que
vous avez raison, mon cher Martin ! tout n'est qu'illusion et
15 calamité[2].»

Notes

1. drôlesse : femme peu recommandable. **2. calamité :** malheur, désastre.

Il tomba dans une mélancolie noire[1], et ne prit aucune part à l'opéra *alla moda*[2], ni aux autres divertissements du carnaval ; pas une dame ne lui donna la moindre tentation. Martin lui dit : « Vous êtes bien simple, en vérité, de vous figurer qu'un valet métis qui a cinq ou six millions dans ses poches ira chercher votre maîtresse au bout du monde et vous l'amènera à Venise. Il en prendra une autre : je vous conseille d'oublier votre valet Cacambo et votre maîtresse Cunégonde. » Martin n'était pas consolant. La mélancolie de Candide augmenta, et Martin ne cessait de lui prouver qu'il y avait peu de vertu et peu de bonheur sur la terre ; excepté peut-être dans Eldorado, où personne ne pouvait aller.

En disputant sur cette matière importante, et en attendant Cunégonde, Candide aperçut un jeune théatin[3] dans la place Saint-Marc, qui tenait sous le bras une fille. Le théatin paraissait frais, potelé, vigoureux ; ses yeux étaient brillants, son air assuré, sa mine haute, sa démarche fière. La fille était très jolie, et chantait ; elle regardait amoureusement son théatin, et de temps en temps lui pinçait ses grosses joues. « Vous m'avouerez du moins, dit Candide à Martin, que ces gens-ci sont heureux. Je n'ai trouvé jusqu'à présent dans toute la terre habitable, excepté dans Eldorado, que des infortunés[4] ; mais pour cette fille et ce théatin, je gage que ce sont des créatures très heureuses. – Je gage que non, dit Martin. – Il n'y a qu'à les prier à dîner, dit Candide, et vous verrez si je me trompe. »

Aussitôt il les aborde, il leur fait son compliment[5], et les invite à venir à son hôtellerie manger des macaronis, des perdrix de Lombardie, des œufs d'esturgeon, et à boire du vin de Montepulciano, du lacryma-christi, du chypre, et du samos[6].

Notes

1. **mélancolie noire** : tristesse morbide, proche de la folie (théorie des humeurs).
2. *alla moda* : « à la mode ».
3. **théatin** : moine italien.
4. **infortunés** : malheureux.
5. **il leur fait son compliment** : il les salue.
6. **vin […] samos** : vins fins.

45 La demoiselle rougit, le théatin accepta la partie[1], et la fille le
 suivit en regardant Candide avec des yeux de surprise et de
 confusion, qui furent obscurcis de quelques larmes. À peine
 fut-elle entrée dans la chambre[2] de Candide, qu'elle lui dit :
 «Eh quoi! monsieur Candide ne reconnaît plus Paquette!» À
50 ces mots, Candide, qui ne l'avait pas considérée jusque-là avec
 attention, parce qu'il n'était occupé que de Cunégonde, lui
 dit : «Hélas! ma pauvre enfant, c'est donc vous qui avez mis le
 docteur Pangloss dans le bel état où je l'ai vu?
 – Hélas! monsieur, c'est moi-même, dit Paquette ; je vois
55 que vous êtes instruit[3] de tout. J'ai su les malheurs épouvan-
 tables arrivés à toute la maison de madame la baronne et à la
 belle Cunégonde. Je vous jure que ma destinée n'a guère été
 moins triste. J'étais fort innocente quand vous m'avez vue. Un
 cordelier, qui était mon confesseur, me séduisit aisément. Les
60 suites en furent affreuses; je fus obligée de sortir du château
 quelque temps après que monsieur le baron vous eut renvoyé à
 grands coups de pied dans le derrière. Si un fameux médecin
 n'avait pas pris pitié de moi, j'étais morte. Je fus quelque temps
 par reconnaissance la maîtresse de ce médecin. Sa femme, qui
65 était jalouse à la rage, me battait tous les jours impitoyable-
 ment; c'était une furie. Ce médecin était le plus laid de tous
 les hommes, et moi la plus malheureuse de toutes les créatures
 d'être battue continuellement pour un homme que je n'aimais
 pas. Vous savez, monsieur, combien il est dangereux pour
70 une femme acariâtre[4] d'être l'épouse d'un médecin. Celui-ci,
 outré[5] des procédés de sa femme, lui donna un jour, pour la
 guérir d'un petit rhume, une médecine si efficace qu'elle en
 mourut en deux heures de temps dans des convulsions hor-
 ribles. Les parents de madame intentèrent à monsieur un pro-
75 cès criminel; il prit la fuite, et moi, je fus mise en prison. Mon

Notes

1. **partie :** partie de plaisir.
2. **chambre :** pièce de réception.
3. **instruit :** informé.

4. **acariâtre :** désagréable, de méchante humeur.
5. **outré :** indigné.

innocence ne m'aurait pas sauvée si je n'avais été un peu jolie. Le juge m'élargit[1], à condition qu'il succéderait au médecin. Je fus bientôt supplantée[2] par une rivale, chassée sans récompense, et obligée de continuer ce métier abominable qui vous

80 paraît si plaisant à vous autres hommes, et qui n'est pour nous qu'un abîme de misère. J'allai exercer la profession à Venise. Ah! monsieur, si vous pouviez vous imaginer ce que c'est que d'être obligée de caresser indifféremment un vieux marchand, un avocat, un moine, un gondolier, un abbé; d'être exposée

85 à toutes les insultes, à toutes les avanies[3]; d'être souvent réduite à emprunter une jupe pour aller se la faire lever par un homme dégoûtant; d'être volée par l'un de ce qu'on a gagné avec l'autre; d'être rançonnée[4] par les officiers de justice, et de n'avoir en perspective qu'une vieillesse affreuse, un hôpital, et

90 un fumier[5], vous concluriez que je suis une des plus malheureuses créatures du monde.»

Paquette ouvrait ainsi son cœur au bon Candide, dans un cabinet, en présence de Martin, qui disait à Candide : «Vous voyez que j'ai déjà gagné la moitié de la gageure[6].»

95 Frère Giroflée était resté dans la salle à manger, et buvait un coup en attendant le dîner. «Mais, dit Candide à Paquette, vous aviez l'air si gai, si content, quand je vous ai rencontrée; vous chantiez, vous caressiez le théatin avec une complaisance[7] naturelle; vous m'avez paru aussi heureuse que vous prétendez

100 être infortunée. – Ah! monsieur, répondit Paquette, c'est encore là une des misères du métier. J'ai été hier volée et battue par un officier, et il faut aujourd'hui que je paraisse de bonne humeur pour plaire à un moine.»

Candide n'en voulut pas davantage; il avoua que Martin

105 avait raison. On se mit à table avec Paquette et le théatin; le

Notes

1. m'élargit : me libéra.
2. supplantée : remplacée.
3. avanies : humiliations.
4. rançonnée : exploitée.

5. fumier : lieu où l'on jette les ordures. Toute sépulture lui est interdite.
6. de la gageure : du pari.
7. complaisance : bienveillance.

repas fut assez amusant, et sur la fin on se parla avec confiance. «Mon père, dit Candide au moine, vous me paraissez jouir d'une destinée que tout le monde doit envier; la fleur de la santé brille sur votre visage, votre physionomie annonce le
110 bonheur; vous avez une très jolie fille pour votre récréation[1], et vous paraissez très content de votre état de théatin.

– Ma foi, monsieur, dit frère Giroflée, je voudrais que tous les théatins fussent au fond de la mer. J'ai été tenté cent fois de mettre le feu au couvent, et d'aller me faire turc[2]. Mes parents
115 me forcèrent, à l'âge de quinze ans, d'endosser cette détestable robe, pour laisser plus de fortune à un maudit frère aîné que Dieu confonde! La jalousie, la discorde[3], la rage, habitent dans le couvent. Il est vrai que j'ai prêché quelques mauvais sermons qui m'ont valu un peu d'argent dont le prieur me vole la
120 moitié : le reste me sert à entretenir des filles; mais quand je rentre le soir dans le monastère, je suis prêt de me casser la tête contre les murs du dortoir; et tous mes confrères sont dans le même cas.»

Martin se tournant vers Candide avec son sang-froid ordi-
125 naire : «Eh bien! lui dit-il, n'ai-je pas gagné la gageure tout entière?» Candide donna deux mille piastres à Paquette et mille piastres à frère Giroflée. «Je vous réponds, dit-il, qu'avec cela ils seront heureux. – Je n'en crois rien du tout, dit Martin; vous les rendrez peut-être avec ces piastres beaucoup plus
130 malheureux encore. – Il en sera ce qui pourra, dit Candide; mais une chose me console, je vois qu'on retrouve souvent les gens qu'on ne croyait jamais retrouver : il se pourra bien faire qu'ayant rencontré mon mouton rouge et Paquette, je rencontre aussi Cunégonde. – Je souhaite, dit Martin, qu'elle fasse
135 un jour votre bonheur; mais c'est de quoi je doute fort. – Vous êtes bien dur, dit Candide. – C'est que j'ai vécu, dit Martin.

Notes

1. récréation : divertissement.
2. me faire turc : me convertir à l'islam.

3. discorde : mésentente.

– Mais regardez ces gondoliers, dit Candide ; ne chantent-ils pas sans cesse ? – Vous ne les voyez pas dans leur ménage, avec leurs femmes et leurs marmots d'enfants, dit Martin. Le doge[1] a ses chagrins, les gondoliers ont les leurs. Il est vrai qu'à tout prendre le sort d'un gondolier est préférable à celui d'un doge ; mais je crois la différence si médiocre[2] que cela ne vaut pas la peine d'être examiné.

– On parle, dit Candide, du sénateur Pococuranté[3], qui demeure dans ce beau palais sur la Brenta[4], et qui reçoit assez bien les étrangers. On prétend que c'est un homme qui n'a jamais eu de chagrin. – Je voudrais voir une espèce si rare », dit Martin. Candide aussitôt fit demander au seigneur Pococuranté la permission de venir le voir le lendemain.

CHAPITRE VINGT-CINQUIÈME

Visite chez le seigneur Pococuranté, noble vénitien

Candide et Martin allèrent en gondole sur la Brenta, et arrivèrent au palais du noble Pococuranté. Les jardins étaient bien entendus[5], et ornés de belles statues de marbre ; le palais, d'une belle architecture. Le maître du logis, homme de soixante ans, fort riche, reçut très poliment les deux curieux, mais avec très peu d'empressement, ce qui déconcerta Candide et ne déplut point à Martin.

D'abord deux filles jolies et proprement mises servirent du chocolat, qu'elles firent très bien mousser. Candide ne put

Notes

1. **doge** : gouverneur de la république de Venise.
2. **médiocre** : ici, « petite ».
3. **Pococuranté** : en italien, « qui se soucie peu des choses ».
4. **Brenta** : rivière vénitienne bordée de riches palais.
5. **entendus** : disposés.

10 s'empêcher de les louer sur leur beauté, sur leur bonne grâce, et sur leur adresse. «Ce sont d'assez bonnes créatures, dit le sénateur Pococuranté ; je les fais quelquefois coucher dans mon lit ; car je suis bien las des dames de la ville, de leurs coquetteries, de leurs jalousies, de leurs querelles, de leurs humeurs, 15 de leurs petitesses, de leur orgueil, de leurs sottises, et des sonnets[1] qu'il faut faire ou commander pour elles ; mais, après tout, ces deux filles commencent fort à m'ennuyer.»

Candide, après le déjeuner, se promenant dans une longue galerie, fut surpris de la beauté des tableaux. Il demanda de 20 quel maître étaient les deux premiers. «Ils sont de Raphaël[2], dit le sénateur ; je les achetai fort cher par vanité, il y a quelques années ; on dit que c'est ce qu'il y a de plus beau en Italie, mais ils ne me plaisent point du tout : la couleur en est très rembrunie[3], les figures ne sont pas assez arrondies, et ne sortent point 25 assez ; les draperies ne ressemblent en rien à une étoffe : en un mot, quoi qu'on en dise, je ne trouve point là une imitation vraie de la nature. Je n'aimerai un tableau que quand je croirai voir la nature elle-même : il n'y en a point de cette espèce. J'ai beaucoup de tableaux, mais je ne les regarde plus.»

30 Pococuranté, en attendant le dîner, se fit donner un concerto. Candide trouva la musique délicieuse. «Ce bruit, dit Pococuranté, peut amuser une demi-heure ; mais s'il dure plus longtemps, il fatigue tout le monde, quoique personne n'ose l'avouer. La musique aujourd'hui n'est plus que l'art d'exécuter 35 des choses difficiles, et ce qui n'est que difficile ne plaît point à la longue.

«J'aimerais peut-être mieux l'opéra, si on n'avait pas trouvé le secret d'en faire un monstre qui me révolte. Ira voir qui voudra de mauvaises tragédies en musique, où les scènes ne 40 sont faites que pour amener très mal à propos deux ou trois

Notes

1. **sonnets** : poèmes de 14 vers ; il s'agit ici de sonnets galants.

2. Raphaël (1483-1520), peintre italien.

3. **rembrunie** : sombre.

chansons ridicules qui font valoir le gosier d'une actrice ; se pâmera de plaisir qui voudra ou qui pourra en voyant un châtré[1] fredonner le rôle de César et de Caton[2], et se promener d'un air gauche sur des planches[3] ; pour moi, il y a longtemps que j'ai renoncé à ces pauvretés, qui font aujourd'hui la gloire de l'Italie, et que des souverains payent si chèrement. » Candide disputa un peu, mais avec discrétion. Martin fut entièrement de l'avis du sénateur.

On se mit à table ; et, après un excellent dîner, on entra dans la bibliothèque. Candide, en voyant un Homère[4] magnifiquement relié, loua l'illustrissime sur son bon goût. « Voilà, dit-il, un livre qui faisait les délices du grand Pangloss, le meilleur philosophe de l'Allemagne. – Il ne fait pas les miennes, dit froidement Pococuranté ; on me fit accroire[5] autrefois que j'avais du plaisir en le lisant ; mais cette répétition continuelle de combats qui se ressemblent tous, ces dieux qui agissent toujours pour ne rien faire de décisif, cette Hélène qui est le sujet de la guerre, et qui à peine est une actrice de la pièce[6] ; cette Troie qu'on assiège, et qu'on ne prend point : tout cela me causait le plus mortel ennui. J'ai demandé quelquefois à des savants s'ils s'ennuyaient autant que moi à cette lecture : tous les gens sincères m'ont avoué que le livre leur tombait des mains, mais qu'il fallait toujours l'avoir dans sa bibliothèque, comme un monument de l'antiquité, et comme mes médailles rouillées qui ne peuvent être de commerce.

– Votre Excellence ne pense pas ainsi de Virgile[7] ? dit Candide. – Je conviens, dit Pococuranté, que le second, le quatrième et le sixième livre de son *Énéide* sont excellents ; mais

Notes

1. **châtré** : castrat (péjoratif).
2. **de César et de Caton** : hommes politiques romains du Ier s. av. J.-C.
3. **des planches** : une scène.
4. Homère (VIIIe av. J.-C.), poète grec, auteur de l'*Iliade* et de l'*Odyssée*.

5. **accroire** : croire.
6. **actrice de la pièce** : l'enlèvement d'Hélène est la cause de la guerre de Troie ; elle figure peu dans l'*Iliade*.
7. Virgile (70-19 av. J.-C.), poète latin, auteur notamment de l'*Énéide*.

pour son pieux Énée, et le fort Cloanthe, et l'ami Achates, et
70 le petit Ascanius, et l'imbécile roi Latinus, et la bourgeoise
Amata, et l'insipide Lavinia, je ne crois pas qu'il y ait rien de
si froid et de plus désagréable. J'aime mieux le Tasse¹ et les
contes à dormir debout de l'Arioste².

 – Oserais-je vous demander, monsieur, dit Candide, si
75 vous n'avez pas un grand plaisir à lire Horace³ ? – Il y a des
maximes, dit Pococurante, dont un homme du monde peut
faire son profit, et qui, étant resserrées dans des vers éner-
giques, se gravent plus aisément dans la mémoire ; mais je me
soucie fort peu de son voyage à Brindes et de sa description
80 d'un mauvais dîner, et de la querelle de crocheteurs entre je ne
sais quel Pupilus dont les paroles, dit-il, *étaient pleines de pus*, et
un autre dont les paroles *étaient du vinaigre*. Je n'ai lu qu'avec un
extrême dégoût ses vers grossiers contre des vieilles et contre
des sorcières⁴ ; et je ne vois pas quel mérite il peut y avoir à dire
85 à son ami Mécénas⁵, que, s'il est mis par lui au rang des poètes
lyriques, il frappera les astres de son front sublime. Les sots
admirent tout dans un auteur estimé. Je ne lis que pour moi ;
je n'aime que ce qui est à mon usage. » Candide, qui avait été
élevé à ne jamais juger de rien par lui-même, était fort étonné
90 de ce qu'il entendait ; et Martin trouvait la façon de penser de
Pococurante assez raisonnable.

 « Oh ! voici un Cicéron⁶, dit Candide ; pour ce grand
homme-là, je pense que vous ne vous lassez point de le lire ?
– Je ne le lis jamais, répondit le Vénitien. Que m'importe qu'il
95 ait plaidé pour Rabirius ou pour Cluentius ? J'ai bien assez
des procès que je juge ; je me serais mieux accommodé de ses

Notes

1. Le Tasse (1544-1595), poète italien,
auteur de *La Jérusalem délivrée*.
2. L'Arioste (1474-1533), poète italien,
auteur de *Roland furieux*.
3. Horace (65-8 av. J.-C.), poète latin.

4. **sorcières** : critique des *Satires* et des
Épodes d'Horace.
5. **Mécénas** : ami d'Horace célèbre pour
sa générosité envers les artistes.
6. Cicéron (106-43 av. J.-C.), homme
politique et orateur latin.

œuvres philosophiques ; mais quand j'ai vu qu'il doutait de tout, j'ai conclu que j'en savais autant que lui, et que je n'avais besoin de personne pour être ignorant.

100 – Ah ! voilà quatre-vingts volumes de recueils d'une académie des sciences, s'écria Martin ; il se peut qu'il y ait là du bon. – Il y en aurait, dit Pococuranté, si un seul des auteurs de ces fatras[1] avait inventé seulement l'art de faire des épingles ; mais il n'y a dans tous ces livres que de vains systèmes, et pas une 105 seule chose utile.

– Que de pièces de théâtre je vois là, dit Candide, en italien, en espagnol, en français ! – Oui, dit le sénateur, il y en a trois mille, et pas trois douzaines de bonnes. Pour ces recueils de sermons, qui tous ensemble ne valent pas une page de Sé- 110 nèque[2], et tous ces gros volumes de théologie, vous pensez bien que je ne les ouvre jamais, ni moi, ni personne. »

Martin aperçut des rayons chargés de livres anglais. « Je crois, dit-il, qu'un républicain doit se plaire à la plupart de ces ouvrages écrits si librement. – Oui, répondit Pococuran- 115 té ; il est beau d'écrire ce qu'on pense : c'est le privilège de l'homme. Dans toute notre Italie, on n'écrit que ce qu'on ne pense pas ; ceux qui habitent la patrie des Césars et des Anto- nins[3] n'osent avoir une idée sans la permission d'un jacobin[4]. Je serais content de la liberté qui inspire les génies anglais si 120 la passion et l'esprit de parti ne corrompaient[5] pas tout ce que cette précieuse liberté a d'estimable. »

Candide, apercevant un Milton[6], lui demanda s'il ne regar- dait pas cet auteur comme un grand homme. « Qui ? dit Poco- curanté, ce barbare qui fait un long commentaire du premier 125 chapitre de la *Genèse* en dix livres de vers durs, ce grossier

Notes

1. fatras : ensembles confus.
2. Sénèque, philosophe latin du I[er] s. ap. J.-C.
3. des Césars et des Antonins : empereurs romains des deux premiers siècles.

4. jacobin : dominicain ; les dirigeants de l'Inquisition sont des prêtres jacobins.
5. corrompaient : gâchaient.
6. John Milton (1608-1674), poète anglais, auteur d'une épopée biblique.

imitateur des Grecs, qui défigure la création, et qui, tandis que Moïse représente l'Être éternel produisant le monde par la parole, fait prendre un grand compas par le Messiah[1] dans une armoire du ciel pour tracer son ouvrage ? Moi, j'estimerais ce-
130 lui qui a gâté l'enfer et le diable du Tasse ; qui déguise Lucifer tantôt en crapaud, tantôt en pygmée[2] ; qui lui fait rebattre cent fois les mêmes discours ; qui le fait disputer sur la théologie ; qui, en imitant sérieusement l'invention comique des armes à feu de l'Arioste, fait tirer le canon dans le ciel par les diables ?
135 Ni moi, ni personne en Italie n'a pu se plaire à toutes ces tristes extravagances. Le mariage du péché et de la mort, et les cou- leuvres dont le péché accouche, font vomir tout homme qui a le goût un peu délicat ; et sa longue description d'un hôpital n'est bonne que pour un fossoyeur. Ce poème obscur[3], bizarre
140 et dégoûtant, fut méprisé à sa naissance ; je le traite aujourd'hui comme il fut traité dans sa patrie par les contemporains. Au reste, je dis ce que je pense, et je me soucie fort peu que les autres pensent comme moi. » Candide était affligé de ces dis- cours ; il respectait Homère, il aimait un peu Milton. « Hélas !
145 dit-il tout bas à Martin, j'ai bien peur que cet homme-ci n'ait un souverain mépris pour nos poètes allemands. – Il n'y aurait pas grand mal à cela, dit Martin. – Oh ! quel homme supé- rieur ! disait encore Candide entre ses dents, quel grand génie que ce Pococuranté ! rien ne peut lui plaire. »
150 Après avoir fait ainsi la revue de tous les livres, ils descen- dirent dans le jardin. Candide en loua toutes les beautés. « Je ne sais rien de si mauvais goût, dit le maître : nous n'avons ici que des colifichets[4], mais je vais dès demain en faire planter un d'un dessin plus noble. »
155 Quand les deux curieux eurent pris congé de Son Excel- lence : « Or çà, dit Candide à Martin, vous conviendrez que

Notes

1. **Messiah** : en anglais, « Messie ».
2. **pygmée** : personne de très petite taille, nain.
3. **obscur** : difficilement compréhensible.
4. **colifichets** : petits ornements.

voilà le plus heureux de tous les hommes, car il est au-dessus de tout ce qu'il possède. – Ne voyez-vous pas, dit Martin, qu'il est dégoûté de tout ce qu'il possède? Platon[1] a dit, il y
160 a longtemps, que les meilleurs estomacs ne sont pas ceux qui rebutent[2] tous les aliments. – Mais, dit Candide, n'y a-t-il pas du plaisir à tout critiquer, à sentir des défauts où les autres hommes croient voir des beautés? – C'est-à-dire, reprit Martin, qu'il y a du plaisir à n'avoir pas de plaisir? – Oh bien! dit
165 Candide, il n'y a donc d'heureux que moi, quand je reverrai mademoiselle Cunégonde. – C'est toujours bien fait d'espérer», dit Martin.

Cependant les jours, les semaines s'écoulaient; Cacambo ne revenait point, et Candide était si abîmé dans sa douleur
170 qu'il ne fit pas même réflexion que Paquette et frère Giroflée n'étaient pas venus seulement le remercier.

CHAPITRE VINGT-SIXIÈME

D'UN SOUPER QUE CANDIDE ET MARTIN FIRENT
AVEC SIX ÉTRANGERS, ET QUI ILS ÉTAIENT

1 Un soir que Candide, suivi de Martin, allait se mettre à table avec les étrangers qui logeaient dans la même hôtellerie, un homme à visage couleur de suie l'aborda par-derrière, et, le prenant par le bras, lui dit : «Soyez prêt à partir avec nous, n'y
5 manquez pas.» Il se retourne, et voit Cacambo. Il n'y avait que la vue de Cunégonde qui pût l'étonner et lui plaire davantage. Il fut sur le point de devenir fou de joie. Il embrasse son cher ami. «Cunégonde est ici, sans doute? Où est-elle? Mène-moi vers elle, que je meure de joie avec elle. – Cunégonde n'est

Notes 1. Platon (Vᵉ s. av. J.-C.), philosophe grec. 2. **rebutent** : refusent.

Notes 1. Platon (V^e s. av. J.-C.), philosophe grec. 2. **rebutent** : refusent.

point ici, dit Cacambo, elle est à Constantinople. – Ah Ciel!
à Constantinople! mais fût-elle à la Chine[1], j'y vole, partons.
– Nous partirons après souper, reprit Cacambo; je ne peux
vous en dire davantage; je suis esclave, mon maître m'attend;
il faut que j'aille le servir à table : ne dites mot; soupez, et
tenez-vous prêt. »

Candide, partagé entre la joie et la douleur, charmé d'avoir
revu son agent fidèle, étonné de le voir esclave, plein de l'idée
de retrouver sa maîtresse, le cœur agité, l'esprit bouleversé,
se mit à table avec Martin, qui voyait de sang-froid toutes
ces aventures, et avec six étrangers qui étaient venus passer le
carnaval à Venise.

Cacambo, qui versait à boire à l'un de ces étrangers, s'appro-
cha de l'oreille de son maître, sur la fin du repas, et lui dit :
« Sire, Votre Majesté partira quand elle voudra, le vaisseau est
prêt. » Ayant dit ces mots, il sortit. Les convives, étonnés, se
regardaient sans proférer une seule parole, lorsqu'un autre do-
mestique, s'approchant de son maître, lui dit : « Sire, la chaise[2]
de Votre Majesté est à Padoue, et la barque est prête. » Le
maître fit un signe et le domestique partit. Tous les convives
se regardèrent encore, et la surprise commune redoubla. Un
troisième valet, s'approchant aussi d'un troisième étranger, lui
dit : « Sire, croyez-moi, Votre Majesté ne doit pas rester ici plus
longtemps : je vais tout préparer »; et aussitôt il disparut.

Candide et Martin ne doutèrent pas alors que ce ne fût une
mascarade[3] du carnaval. Un quatrième domestique dit au qua-
trième maître : « Votre Majesté partira quand elle voudra », et
sortit comme les autres. Le cinquième valet en dit autant au
cinquième maître. Mais le sixième valet parla différemment
au sixième étranger, qui était auprès de Candide; il lui dit :
« Ma foi, sire, on ne veut plus faire crédit[4] à Votre Majesté ni

Notes

1. **à la Chine** : en Chine.
2. **la chaise** : le carrosse.

3. **mascarade** : ici, « mise en scène ».
4. **faire crédit** : faire confiance.

à moi non plus, et nous pourrions bien être coffrés[1] cette nuit, vous et moi ; je vais pourvoir à[2] mes affaires, adieu. »

Tous les domestiques ayant disparu, les six étrangers, Candide et Martin, demeurèrent dans un profond silence. Enfin Candide le rompit : « Messieurs, dit-il, voilà une singulière plaisanterie. Pourquoi êtes-vous tous rois ? Pour moi, je vous avoue que ni moi ni Martin nous ne le sommes. »

Le maître de Cacambo prit alors gravement la parole, et dit en italien : « Je ne suis point plaisant[3], je m'appelle Achmet III[4] ; j'ai été grand sultan plusieurs années ; je détrônai mon frère ; mon neveu m'a détrôné ; on a coupé le cou à mes vizirs[5] ; j'achève ma vie dans le vieux sérail ; mon neveu le grand sultan Mahmoud me permet de voyager quelquefois pour ma santé ; et je suis venu passer le carnaval à Venise. »

Un jeune homme qui était auprès d'Achmet parla après lui, et dit : « Je m'appelle Ivan[6] ; j'ai été empereur de toutes les Russies ; j'ai été détrôné au berceau ; mon père et ma mère ont été enfermés ; on m'a élevé en prison ; j'ai quelquefois la permission de voyager, accompagné de ceux qui me gardent ; et je suis venu passer le carnaval à Venise. »

Le troisième dit : « Je suis Charles-Édouard, roi d'Angleterre ; mon père m'a cédé ses droits au royaume ; j'ai combattu pour les soutenir ; on a arraché le cœur à huit cents de mes partisans, et on leur en a battu les joues ; j'ai été mis en prison ; je vais à Rome faire une visite au roi mon père, détrôné ainsi que moi et mon grand-père ; et je suis venu passer le carnaval à Venise. »

Le quatrième prit alors la parole et dit : « Je suis roi des Polaques[7], le sort de la guerre m'a privé de mes États héréditaires ;

70 mon père a éprouvé les mêmes revers[1] ; je
vidence comme le sultan Achmet, l'empe
Charles-Édouard[2], à qui Dieu donne une lo
venu passer le carnaval à Venise. »

Le cinquième dit : « Je suis aussi roi des Polaq
75 mon royaume deux fois ; mais la Providence n
autre État[4] dans lequel j'ai fait plus de bien que tou
Sarmates[5] ensemble n'en ont jamais pu faire sur les
Vistule[6]. Je me résigne aussi à[7] la Providence ; et je
passer le carnaval à Venise. »

80 Il restait au sixième monarque à parler. « Messieurs, d
ne suis pas si grand seigneur que vous ; mais enfin j'ai ét
tout comme un autre ; je suis Théodore[8], on m'a élu roi
Corse ; on m'a appelé *Votre Majesté*, et à présent à peine m'ap
pelle-t-on *Monsieur* ; j'ai fait frapper de la monnaie, et je n
85 possède pas un denier[9] ; j'ai eu deux secrétaires d'État, et j'ai à
peine un valet ; je me suis vu sur un trône, et j'ai longtemps été
à Londres, en prison sur la paille ; j'ai bien peur d'être traité de
même ici, quoique je sois venu, comme Vos Majestés, passer
le carnaval à Venise. »

90 Les cinq autres rois écoutèrent ce discours avec une noble
compassion. Chacun d'eux donna vingt sequins[10] au roi Théo-
dore pour avoir des habits et des chemises ; Candide lui fit
présent d'un diamant de deux mille sequins. « Quel est donc,
disaient les cinq rois, ce simple particulier qui est en état de
95 donner cent fois autant que chacun de nous, et qui le donne ? »

Notes

1. **revers** : malheurs.
2. Charles-Édouard Stuart (1720-1788),
prétendant au trône d'Angleterre.
3. **aussi roi des Polaques** : Stanislas
Leszczynski, chassé du trône de Pologne
en 1709 et en 1736.
4. **un autre État** : le duché de Lorraine
obtenu en 1736.

5. **Sarmates** : Polonais.
6. **Vistule** : fleuve qui traverse la Pologne
7. **Je me résigne aussi à** : je m'en remets
8. **Théodore** : roi de Corse en 1736.
9. **denier** : sou.
10. **sequins** : monnaie de Venise.

ait de table, il arriva dans la même
\`nissimes qui avaient aussi perdu
'erre, et qui venaient passer le
 Candide ne prit pas seulement
 \`it occupé que d'aller trou-
 'ople.

me résigne à la Pro-
eur Ivan, et le roi
gue vie; et je suis
es; j'ai perdu
à donné un
les rois des
ords de la
uis venu
-il, je
é roi
en

ʃ-SEPTIÈME

ᴅᴇ À CONSTANTINOPLE

ᴊacambo avait déjà obtenu du patron turc qui allait
ᴊre le sultan Achmet à Constantinople qu'il recevrait
ᴊide et Martin sur son bord. L'un et l'autre s'y rendirent
près s'être prosternés devant Sa misérable Hautesse. Candide,
chemin faisant, disait à Martin : «Voilà pourtant six rois dé-
trônés avec qui nous avons soupé! et encore dans ces six rois il
y en a un à qui j'ai fait l'aumône. Peut-être y a-t-il beaucoup
d'autres princes plus infortunés. Pour moi, je n'ai perdu que
cent moutons, et je vole dans les bras de Cunégonde. Mon
10 cher Martin, encore une fois, Pangloss avait raison, tout est
bien. – Je le souhaite, dit Martin. – Mais, dit Candide, voilà
une aventure bien peu vraisemblable que nous avons eue à
Venise. On n'avait jamais vu ni ouï[1] conter que six rois dé-
trônés soupassent[2] ensemble au cabaret. – Cela n'est pas plus
15 extraordinaire, dit Martin, que la plupart des choses qui nous
sont arrivées. Il est très commun que des rois soient détrônés;
et à l'égard de l'honneur que nous avons eu de souper avec
eux, c'est une bagatelle qui ne mérite pas notre attention.»
À peine Candide fut-il dans le vaisseau qu'il sauta au cou de

1. ouï : entendu.

2. soupassent : prennent le souper (imparfait du subjonctif).

20 son ancien valet, de son ami Cacambo. «Eh bien! lui dit-il,
que fait Cunégonde? Est-elle toujours un prodige de beauté?
M'aime-t-elle toujours? Comment se porte-t-elle? Tu lui as
sans doute acheté un palais à Constantinople?

– Mon cher maître, répondit Cacambo. Cunégonde lave les
25 écuelles[1] sur le bord de la Propontide[2], chez un prince qui a
très peu d'écuelles; elle est esclave dans la maison d'un ancien
souverain, nommé Ragotski[3], à qui le Grand Turc donne trois
écus par jour dans son asile[4]; mais, ce qui est bien plus triste,
c'est qu'elle a perdu sa beauté, et qu'elle est devenue horrible-
30 ment laide. – Ah! belle ou laide, dit Candide, je suis honnête
homme[5], et mon devoir est de l'aimer toujours. Mais com-
ment peut-elle être réduite à un état si abject[6] avec les cinq
ou six millions que tu avais apportés? – Bon, dit Cacambo,
ne m'en a-t-il pas fallu donner deux millions au señor don
35 Fernando d'Ibaraa, y Figueora, y Mascarenes, y Lampourdos,
y Souza, gouverneur de Buenos-Ayres, pour avoir la permis-
sion de reprendre mademoiselle Cunégonde? Et un pirate ne
nous a-t-il pas bravement dépouillés de tout le reste? Ce pirate
ne nous a-t-il pas menés au cap de Matapan, à Milo, à Nica-
40 rie, à Samos, à Petra, aux Dardanelles, à Marmora, à Scu-
tari[7]? Cunégonde et la vieille servent chez ce prince dont je
vous ai parlé, et moi, je suis esclave du sultan détrôné. – Que
d'épouvantables calamités enchaînées les unes aux autres! dit
Candide. Mais, après tout, j'ai encore quelques diamants; je
45 délivrerai aisément Cunégonde. C'est bien dommage qu'elle
soit devenue si laide.»

Notes

1. **écuelles** : assiettes.
2. **Propontide** : mer de Marmara entre
la Méditerranée et la mer Noire.
3. **Ragotski** : prince hongrois réfugié en
Turquie en 1719.
4. **asile** : refuge.

5. **honnête homme** : ici, « personne qui
respecte sa parole ».
6. **abject** : horrible.
7. **Matapan [...] Scutari** : villes de
Méditerranée orientale.

Ensuite, se tournant vers Martin : « Que pensez-vous, dit-il, qui soit le plus à plaindre, de l'empereur Achmet, de l'empereur Ivan, du roi Charles-Édouard, ou de moi ? – Je n'en sais
50 rien, dit Martin ; il faudrait que je fusse dans vos cœurs pour le savoir. – Ah ! dit Candide, si Pangloss était ici, il le saurait, et nous l'apprendrait. – Je ne sais, dit Martin, avec quelles balances votre Pangloss aurait pu peser les infortunes des hommes, et apprécier leurs douleurs. Tout ce que je présume,
55 c'est qu'il y a des millions d'hommes sur la terre cent fois plus à plaindre que le roi Charles-Édouard, l'empereur Ivan, et le sultan Achmet. – Cela pourrait bien être », dit Candide.

On arriva en peu de jours sur le canal de la mer Noire. Candide commença par racheter Cacambo fort cher ; et, sans
60 perdre de temps, il se jeta dans une galère, avec ses compagnons, pour aller sur le rivage de la Propontide chercher Cunégonde, quelque laide qu'elle pût être.

Il y avait dans la chiourme[1] deux forçats qui ramaient fort mal, et à qui le levanti patron[2] appliquait de temps en temps
65 quelques coups de nerf de bœuf sur les épaules nues ; Candide, par un mouvement naturel, les regarda plus attentivement que les autres galériens, et s'approcha d'eux avec pitié. Quelques traits de leurs visages défigurés lui parurent avoir un peu de ressemblance avec Pangloss et avec ce malheureux jésuite,
70 ce baron, ce frère de mademoiselle Cunégonde. Cette idée l'émut et l'attrista. Il les considéra encore plus attentivement. « En vérité, dit-il à Cacambo, si je n'avais pas vu pendre maître Pangloss, et si je n'avais pas eu le malheur de tuer le baron, je croirais que ce sont eux qui rament dans cette galère ».
75 Au nom du baron et de Pangloss, les deux forçats poussèrent un grand cri, s'arrêtèrent sur leur banc, et laissèrent tomber leurs rames. Le levanti patron accourait sur eux, et les

Notes

1. chiourme : groupe de rameurs d'une galère.

2. levanti patron : commandant des galères turques.

coups de nerf de bœuf redoublaient. «Arrêtez! arrêtez! sei-
gneur, s'écria Candide; je vous donnerai tant d'argent que
80 vous voudrez. – Quoi! c'est Candide! disait l'un des forçats.
– Quoi! c'est Candide! disait l'autre. – Est-ce un songe? dit
Candide; veillé-je? suis-je dans cette galère? Est-ce là mon-
sieur le baron, que j'ai tué? Est-ce maître Pangloss, que j'ai vu
pendre? – C'est nous-mêmes, c'est nous-mêmes, répondaient-
85 ils. – Quoi! c'est là ce grand philosophe? disait Martin. – Eh!
monsieur le levanti patron, dit Candide, combien voulez-vous
d'argent pour la rançon de monsieur de Thunder-ten-tronckh,
un des premiers barons de l'empire, et de monsieur Pangloss,
le plus profond métaphysicien d'Allemagne? – Chien de chré-
90 tien, répondit le levanti patron, puisque ces deux chiens de
forçats chrétiens sont des barons et des métaphysiciens, ce qui
est sans doute une grande dignité dans leur pays, tu m'en don-
neras cinquante mille sequins. – Vous les aurez, monsieur;
ramenez-moi comme un éclair à Constantinople, et vous serez
95 payé sur-le-champ. Mais non, menez-moi chez mademoiselle
Cunégonde.» Le levanti patron, sur la première offre de Can-
dide, avait déjà tourné la proue vers la ville, et il faisait ramer
plus vite qu'un oiseau ne fend les airs.

Candide embrassa cent fois le baron et Pangloss. «Et com-
100 ment ne vous ai-je pas tué, mon cher baron? et mon cher
Pangloss, comment êtes-vous en vie après avoir été pendu? et
pourquoi êtes-vous tous deux aux galères en Turquie? – Est-
il bien vrai que ma chère sœur soit dans ce pays? disait le
baron. – Oui, répondait Cacambo. – Je revois donc mon cher
105 Candide», s'écriait Pangloss. Candide leur présentait Martin
et Cacambo. Ils s'embrassaient tous; ils parlaient tous à la fois.
La galère volait, ils étaient déjà dans le port. On fit venir un
juif, à qui Candide vendit pour cinquante mille sequins un
diamant de la valeur de cent mille, et qui lui jura par Abra-
110 ham qu'il ne pouvait donner davantage. Il paya incontinent
la rançon du baron et de Pangloss. Celui-ci se jeta aux pieds

de son libérateur, et les baigna de larmes; l'autre le remercia par un signe de tête, et lui promit de lui rendre cet argent à la première occasion. «Mais est-il bien possible que ma sœur soit
115 en Turquie? disait-il. – Rien n'est si possible, reprit Cacambo, puisqu'elle écure[1] la vaisselle chez un prince de Transylvanie.» On fit aussitôt venir deux juifs : Candide vendit encore des diamants; et ils repartirent tous dans une autre galère pour aller délivrer Cunégonde.

CHAPITRE VINGT-HUITIÈME

Ce qui arriva à Candide, à Cunégonde, à Pangloss, à Martin, etc.

1 «Pardon, encore une fois, dit Candide au baron; pardon, mon révérend père, de vous avoir donné un grand coup d'épée au travers du corps. – N'en parlons plus, dit le baron; je fus un peu trop vif, je l'avoue; mais puisque vous voulez
5 savoir par quel hasard vous m'avez vu aux galères, je vous dirai qu'après avoir été guéri de ma blessure par le frère apothicaire[2] du collège[3], je fus attaqué et enlevé par un parti[4] espagnol; on me mit en prison à Buenos-Ayres dans le temps que ma sœur venait d'en partir. Je demandai à retourner à Rome auprès du
10 père général. Je fus nommé pour aller servir d'aumônier[5] à Constantinople auprès de monsieur l'ambassadeur de France. Il n'y avait pas huit jours que j'étais entré en fonction, quand je trouvai sur le soir un jeune icoglan[6] très bien fait. Il faisait fort chaud : le jeune homme voulut se baigner; je pris cette occa-

Notes

1. **écure** : nettoie.
2. **apothicaire** : pharmacien.
3. **collège** : communauté.
4. **parti** : groupe de soldats.

5. **aumônier** : prêtre attaché à une Cour royale.
6. **icoglan** : officier du palais du sultan.

15 sion de me baigner aussi. Je ne savais pas que ce fût un crime
capital pour un chrétien d'être trouvé tout nu avec un jeune
musulman. Un cadi[1] me fit donner cent coups de bâton sous la
plante des pieds, et me condamna aux galères. Je ne crois pas
qu'on ait fait une plus horrible injustice. Mais je voudrais bien
20 savoir pourquoi ma sœur est dans la cuisine d'un souverain de
Transylvanie réfugié chez les Turcs.

– Mais vous, mon cher Pangloss, dit Candide, comment
se peut-il que je vous revoie ? – Il est vrai, dit Pangloss, que
vous m'avez vu pendre ; je devais naturellement être brûlé :
25 mais vous vous souvenez qu'il plut à verse lorsqu'on allait me
cuire : l'orage fut si violent qu'on désespéra d'allumer le feu ;
je fus pendu, parce qu'on ne put mieux faire : un chirurgien
acheta mon corps, m'emporta chez lui, et me disséqua. Il me
fit d'abord une incision cruciale[2] depuis le nombril jusqu'à la
30 clavicule. On ne pouvait pas avoir été plus mal pendu que je
l'avais été. L'exécuteur des hautes œuvres[3] de la Sainte Inqui-
sition, lequel était sous-diacre[4], brûlait à la vérité les gens à
merveille, mais il n'était pas accoutumé à pendre : la corde
était mouillée et glissa mal, elle fut nouée ; enfin je respirais
35 encore : l'incision cruciale me fit jeter un si grand cri que mon
chirurgien tomba à la renverse ; et, croyant qu'il disséquait le
diable, il s'enfuit en mourant de peur, et tomba encore sur
l'escalier en fuyant. Sa femme accourut au bruit, d'un cabinet
voisin : elle me vit sur la table étendu avec mon incision cru-
40 ciale ; elle eut encore plus de peur que son mari, s'enfuit, et
tomba sur lui. Quand ils furent un peu revenus à eux, j'enten-
dis la chirurgienne qui disait au chirurgien : "Mon bon, de
quoi vous avisez-vous de disséquer un hérétique[5] ? Ne savez-
vous pas que le diable est toujours dans le corps de ces gens-là ?

Notes

1. **cadi** : juge turc.
2. **cruciale** : en forme de croix.
3. **L'exécuteur des hautes œuvres** :
le bourreau.
4. **sous-diacre** : religieux.
5. **hérétique** : qui s'oppose à la doctrine
de l'Église.

45 Je vais vite chercher un prêtre pour l'exorciser." Je frémis à ce
propos, et je ramassai le peu de forces qui me restaient pour
crier : "Ayez pitié de moi !" Enfin le barbier portugais s'enhar-
dit[1] : il recousit ma peau ; sa femme même eut soin de moi ;
je fus sur pied au bout de quinze jours. Le barbier[2] me trouva
50 une condition, et me fit laquais d'un chevalier de Malte qui
allait à Venise ; mais mon maître n'ayant pas de quoi me payer,
je me mis au service d'un marchand vénitien, et je le suivis à
Constantinople.

«Un jour il me prit fantaisie[3] d'entrer dans une mosquée ;
55 il n'y avait qu'un vieux iman et une jeune dévote très jolie
qui disait ses patenôtres[4] ; sa gorge était toute découverte : elle
avait entre ses deux tétons un beau bouquet de tulipes, de
roses, d'anémones, de renoncules, d'hyacinthes, et d'oreilles
d'ours ; elle laissa tomber son bouquet ; je le ramassai et je le lui
60 remis avec un empressement très respectueux. Je fus si long-
temps à le lui remettre que l'iman se mit en colère, et, voyant
que j'étais chrétien, il cria à l'aide. On me mena chez le cadi,
qui me fit donner cent coups de latte sur la plante des pieds,
et m'envoya aux galères. Je fus enchaîné précisément dans la
65 même galère et au même banc que monsieur le baron. Il y
avait dans cette galère quatre jeunes gens de Marseille, cinq
prêtres napolitains, et deux moines de Corfou, qui nous dirent
que de pareilles aventures arrivaient tous les jours. Monsieur
le baron prétendait qu'il avait essuyé une plus grande injustice
70 que moi ; je prétendais, moi, qu'il était beaucoup plus per-
mis de remettre un bouquet sur la gorge d'une femme que
d'être tout nu avec un icoglan. Nous disputions sans cesse, et
nous recevions vingt coups de nerf de bœuf par jour, lorsque
l'enchaînement des événements de cet univers vous a conduit
75 dans notre galère, et que vous nous avez rachetés.

Notes

1. s'enhardit : devint plus audacieux. 3. il me prit fantaisie : j'eus envie.
2. barbier : chirurgien. 4. patenôtres : prières.

– Eh bien ! mon cher Pangloss, lui dit Candide, quand vous avez été pendu, disséqué, roué de coups, et que vous avez ramé aux galères, avez-vous toujours pensé que tout allait le mieux du monde ? – Je suis toujours de mon premier sentiment, répondit Pangloss ; car enfin je suis philosophe : il ne me convient pas de me dédire, Leibniz ne pouvant pas avoir tort, et l'harmonie préétablie[1] étant d'ailleurs la plus belle chose du monde, aussi bien que le plein et la matière subtile. »

CHAPITRE VINGT-NEUVIÈME

COMMENT CANDIDE RETROUVA CUNÉGONDE ET LA VIEILLE

Pendant que Candide, le baron, Pangloss, Martin, et Cacambo, contaient leurs aventures, qu'ils raisonnaient sur les événements contingents[2] ou non contingents de cet univers, qu'ils disputaient sur les effets et les causes, sur le mal moral et sur le mal physique, sur la liberté et la nécessité[3], sur les consolations que l'on peut éprouver lorsqu'on est aux galères en Turquie, ils abordèrent sur le rivage de la Propontide, à la maison du prince de Transylvanie. Les premiers objets qui se présentèrent furent Cunégonde et la vieille, qui étendaient des serviettes sur des ficelles pour les faire sécher.

Le baron pâlit à cette vue. Le tendre amant Candide, en voyant sa belle Cunégonde rembrunie, les yeux éraillés, la gorge sèche[4], les joues ridées, les bras rouges et écaillés, recula

1. **harmonie préétablie** : harmonie entre l'homme et le monde, selon la théorie de Leibniz.
2. **contingents** : qui peuvent ne pas se produire.
3. **nécessité** : en philosophie, désigne ce qui arrive nécessairement.
4. **la gorge sèche** : la poitrine desséchée.

trois pas, saisi d'horreur, et avança ensuite par bon procédé[1].
15 Elle embrassa Candide et son frère ; on embrassa la vieille :
Candide les racheta toutes deux.

Il y avait une petite métairie[2] dans le voisinage ; la vieille
proposa à Candide de s'en accommoder, en attendant que
toute la troupe eût une meilleure destinée. Cunégonde ne
20 savait pas qu'elle était enlaidie ; personne ne l'en avait aver-
tie : elle fit souvenir Candide de ses promesses avec un ton
si absolu que le bon Candide n'osa pas la refuser. Il signifia
donc au baron qu'il allait se marier avec sa sœur. « Je ne souf-
frirai jamais, dit le baron, une telle bassesse de sa part, et une
25 telle insolence de la vôtre ; cette infamie[3] ne me sera jamais
reprochée : les enfants de ma sœur ne pourraient entrer dans
les chapitres[4] d'Allemagne. Non, jamais ma sœur n'épousera
qu'un baron de l'Empire[5]. » Cunégonde se jeta à ses pieds, et
les baigna de larmes ; il fut inflexible[6]. « Maître fou, lui dit
30 Candide, je t'ai réchappé[7] des galères, j'ai payé ta rançon, j'ai
payé celle de ta sœur ; elle lavait ici des écuelles, elle est laide,
j'ai la bonté d'en faire ma femme ; et tu prétends encore t'y
opposer ! Je te retuerais si j'en croyais ma colère. — Tu peux
me tuer encore, dit le baron, mais tu n'épouseras pas ma sœur
35 de mon vivant. »

Notes

1. par bon procédé : selon les convenances.
2. métairie : ferme.
3. infamie : honte.
4. chapitres : assemblées de religieux ;
certains exigeaient des titres de noblesse.

5. Empire : Saint Empire romain
germanique.
6. inflexible : qui reste fermement sur
ses positions.
7. réchappé : sauvé.

CHAPITRE TRENTIÈME

CONCLUSION

Candide, dans le fond de son cœur, n'avait aucune envie
d'épouser Cunégonde ; mais l'impertinence[1] extrême du ba-
ron le déterminait à conclure le mariage, et Cunégonde le
pressait si vivement qu'il ne pouvait s'en dédire. Il consulta
Pangloss, Martin, et le fidèle Cacambo. Pangloss fit un beau
mémoire par lequel il prouvait que le baron n'avait nul droit
sur sa sœur, et qu'elle pouvait, selon toutes les lois de l'Empire,
épouser Candide de la main gauche[2]. Martin conclut à[3] jeter
le baron dans la mer ; Cacambo décida qu'il fallait le rendre au
levanti patron et le remettre aux galères, après quoi on l'enver-
rait à Rome au père général par le premier vaisseau. L'avis fut
trouvé fort bon ; la vieille l'approuva ; on n'en dit rien à sa
sœur ; la chose fut exécutée pour quelque argent, et on eut le
plaisir d'attraper un jésuite, et de punir l'orgueil d'un baron
allemand.

Il était tout naturel d'imaginer qu'après tant de désastres,
Candide, marié avec sa maîtresse et vivant avec le philosophe
Pangloss, le philosophe Martin, le prudent Cacambo, et la
vieille, ayant d'ailleurs rapporté tant de diamants de la patrie des
anciens Incas, mènerait la vie du monde la plus agréable ; mais il
fut tant friponné[4] par les juifs qu'il ne lui resta plus rien que sa
petite métairie ; sa femme, devenant tous les jours plus laide,
devint acariâtre et insupportable ; la vieille était infirme, et fut
encore de plus mauvaise humeur que Cunégonde. Cacambo,
qui travaillait au jardin, et qui allait vendre des légumes à

Notes

1. l'impertinence : la prétention.
2. En Allemagne, se marier de la main
gauche permettait de ne pas transmettre
ses titres et ses biens.
3. conclut à : proposa de.
4. friponné : escroqué.

Constantinople, était excédé de travail, et maudissait sa destinée. Pangloss était au désespoir de ne pas briller dans quelque université d'Allemagne. Pour Martin, il était fermement persuadé qu'on est également mal partout; il prenait les choses en patience. Candide, Martin et Pangloss disputaient quelquefois de métaphysique et de morale. On voyait souvent passer sous les fenêtres de la métairie des bateaux chargés d'effendis[1], de bachas[2], de cadis qu'on envoyait en exil à Lemnos, à Mytilène[3], à Erzeroum[4]; on voyait venir d'autres cadis, d'autres bachas, d'autres effendis, qui prenaient la place des expulsés, et qui étaient expulsés à leur tour. On voyait des têtes proprement empaillées qu'on allait présenter à la Sublime-Porte[5]. Ces spectacles faisaient redoubler les dissertations[6]; et quand on ne disputait pas, l'ennui était si excessif que la vieille osa un jour leur dire : «Je voudrais savoir lequel est le pire, ou d'être violée cent fois par des pirates nègres, d'avoir une fesse coupée, de passer par les baguettes chez les Bulgares, d'être fouetté et pendu dans un auto-da-fé, d'être disséqué, de ramer en galère, d'éprouver enfin toutes les misères par lesquelles nous avons tous passé, ou bien de rester ici à ne rien faire? – C'est une grande question», dit Candide.

Ce discours fit naître de nouvelles réflexions, et Martin surtout conclut que l'homme était né pour vivre dans les convulsions de l'inquiétude, ou dans la léthargie[7] de l'ennui. Candide n'en convenait pas, mais il n'assurait rien. Pangloss avouait qu'il avait toujours horriblement souffert; mais ayant soutenu une fois que tout allait à merveille, il le soutenait toujours, et n'en croyait rien.

Notes

1. **effendis** : hommes de loi turcs.
2. **bachas** : pachas, gouverneurs d'une province turque.
3. **Lemnos, Mytilène** : îles grecques appartenant alors à la Turquie.
4. **Erzeroum** : ville turque.
5. **Sublime-Porte** : cour du sultan à Constantinople.
6. **dissertations** : discussions.
7. **la léthargie** : le sommeil profond.

Une chose acheva de confirmer Martin dans ses détestables
principes, de faire hésiter plus que jamais Candide, et d'embarrasser Pangloss. C'est qu'ils virent un jour aborder dans leur
métairie Paquette et le frère Giroflée, qui étaient dans la plus
extrême misère ; ils avaient bien vite mangé leurs trois mille
piastres, s'étaient quittés, s'étaient raccommodés, s'étaient
brouillés, avaient été mis en prison, s'étaient enfuis et enfin
frère Giroflée s'était fait turc. Paquette continuait son métier
partout, et n'y gagnait plus rien. « Je l'avais bien prévu, dit
Martin à Candide, que vos présents seraient bientôt dissipés et
ne les rendraient que plus misérables. Vous avez regorgé de[1]
millions de piastres, vous et Cacambo, et vous n'êtes pas plus
heureux que frère Giroflée et Paquette. – Ah ! ah ! dit Pangloss à Paquette, le Ciel vous ramène donc ici parmi nous, ma
pauvre enfant ! Savez-vous bien que vous m'avez coûté le bout
du nez, un œil et une oreille ? Comme vous voilà faite ! eh !
qu'est-ce que ce monde ! » Cette nouvelle aventure les engagea
à philosopher plus que jamais.

Il y avait dans le voisinage un derviche[2] très fameux qui
passait pour le meilleur philosophe de la Turquie ; ils allèrent
le consulter ; Pangloss porta la parole et lui dit : « Maître, nous
venons vous prier de nous dire pourquoi un aussi étrange animal que l'homme a été formé. – De quoi te mêles-tu ? lui dit
le derviche ; est-ce là ton affaire ? – Mais, mon révérend père,
dit Candide, il y a horriblement de mal sur la terre. – Qu'importe, dit le derviche, qu'il y ait du mal ou du bien ? Quand
Sa Hautesse[3] envoie un vaisseau en Égypte, s'embarrasse-t-elle
si les souris qui sont dans le vaisseau sont à leur aise ou non ?
– Que faut-il donc faire ? dit Pangloss. – Te taire, dit le derviche. – Je me flattais, dit Pangloss, de raisonner un peu avec
vous des effets et des causes, du meilleur des mondes possibles,

Notes

1. regorgé de : eu en abondance des. 3. Sa Hautesse : titre du sultan.
2. derviche : religieux et sage musulman.

85 de l'origine du mal, de la nature de l'âme, et de l'harmonie préétablie. » Le derviche, à ces mots, leur ferma la porte au nez.

Pendant cette conversation, la nouvelle s'était répandue qu'on venait d'étrangler à Constantinople deux vizirs du
90 banc[1] et le muphti[2], et qu'on avait empalé plusieurs de leurs amis. Cette catastrophe faisait partout un grand bruit pendant quelques heures. Pangloss, Candide et Martin, en retournant à la petite métairie, rencontrèrent un bon vieillard qui prenait le frais à sa porte sous un berceau d'orangers. Pangloss, qui
95 était aussi curieux que raisonneur, lui demanda comment se nommait le muphti qu'on venait d'étrangler. «Je n'en sais rien, répondit le bonhomme; et je n'ai jamais su le nom d'aucun muphti ni d'aucun vizir. J'ignore absolument l'aventure dont vous me parlez; je présume[3] qu'en général ceux qui se mêlent
100 des affaires publiques périssent quelquefois misérablement, et qu'ils le méritent; mais je ne m'informe jamais de ce qu'on fait à Constantinople; je me contente d'y envoyer vendre les fruits du jardin que je cultive.» Ayant dit ces mots, il fit entrer les étrangers dans sa maison; ses deux filles et ses deux
105 fils leur présentèrent plusieurs sortes de sorbets qu'ils faisaient eux-mêmes, du kaïmak[4] piqué d'écorces de cédrat confit, des oranges, des citrons, des limons[5], des ananas, des pistaches, du café de Moka[6] qui n'était point mêlé avec le mauvais café de Batavia et des îles. Après quoi les deux filles de ce bon
110 musulman parfumèrent les barbes de Candide, de Pangloss et de Martin.

«Vous devez avoir, dit Candide au Turc, une vaste et magnifique terre? – Je n'ai que vingt arpents, répondit le Turc; je les cultive avec mes enfants; le travail éloigne de nous trois
115 grands maux, l'ennui, le vice, et le besoin.»

Candide, en retournant dans sa métairie, fit de profondes réflexions sur le discours du Turc. Il dit à Pangloss et à Martin : « Ce bon vieillard me paraît s'être fait un sort bien préférable à celui des six rois avec qui nous avons eu l'honneur de souper. – Les grandeurs, dit Pangloss, sont fort dangereuses, selon le rapport de tous les philosophes : car enfin Églon, roi des Moabites, fut assassiné par Aod ; Absalon fut pendu par les cheveux et percé de trois dards ; le roi Nadab, fils de Jéroboam, fut tué par Baza ; le roi Éla, par Zambri ; Ochosias, par Jéhu ; Athalia, par Joïada ; les rois Joachim, Jéchonias, Sédécias[1], furent esclaves. Vous savez comment périrent Crésus, Astyage, Darius, Denys de Syracuse, Pyrrhus, Persée, Annibal, Jugurtha, Arioviste, César, Pompée, Néron, Othon, Vitellius, Domitien[2], Richard II d'Angleterre, Édouard II, Henri VI, Richard III, Marie Stuart, Charles Ier, les trois Henri de France, l'empereur Henri IV[3] ? Vous savez… – Je sais aussi, dit Candide, qu'il faut cultiver notre jardin. – Vous avez raison, dit Pangloss ; car quand l'homme fut mis dans le jardin d'Éden, il y fut mis *ut operaretur eum*[4], pour qu'il travaillât : ce qui prouve que l'homme n'est pas né pour le repos. – Travaillons sans raisonner, dit Martin ; c'est le seul moyen de rendre la vie supportable. »

Toute la petite société entra dans[5] ce louable dessein ; chacun se mit à exercer ses talents. La petite terre rapporta beaucoup. Cunégonde était, à la vérité, bien laide ; mais elle devint une excellente pâtissière ; Paquette broda ; la vieille eut soin du linge. Il n'y eut pas jusqu'à frère Giroflée qui ne rendît service ; il fut un très bon menuisier, et même devint honnête homme ; et Pangloss disait quelquefois à Candide : « Tous

Notes

1. Églon, [...] Sédécias : personnages de la Bible.
2. Crésus, [...] Domitien : personnages de l'Antiquité.

3. Richard II [...] Henri IV : personnages de l'époque moderne.
4. *ut operaretur eum* : « *pour qu'il le travaillât* » (citation de la *Genèse*).
5. entra dans : fut d'accord avec.

Chapitre trentième | 135

les événements sont enchaînés dans le meilleur des mondes possibles ; car enfin si vous n'aviez pas été chassé d'un beau château à grands coups de pied dans le derrière pour l'amour de mademoiselle Cunégonde, si vous n'aviez pas été mis à l'Inquisition, si vous n'aviez pas couru l'Amérique à pied, si vous n'aviez pas donné un bon coup d'épée au baron, si vous n'aviez pas perdu tous vos moutons du bon pays d'Eldorado, vous ne mangeriez pas ici des cédrats confits et des pistaches. – Cela est bien dit, répondit Candide, mais il faut cultiver notre jardin. »

[handwritten annotations:]

his classic phrase

if all these bad things hadn't happened then the good things wouldn't have happened either, that proves we live in the best of all possible worlds

it is necessary to cultivate our garden (garden of Eden)

Every thing is for the best, ultimate catch-phrase of an optimist but Candide is always yearning for more, and is not content with the things he thought he wanted, he wants Edan "paradise"

Le jardin de Candide

Lecture analytique de l'extrait (p. 135, l. 116, à p. 136, l. 153)

LA CONCLUSION DU RÉCIT

1 Quelles sont les deux étapes de l'extrait ? Montrez qu'elles sont organisées de la même manière, mais que le second paragraphe marque une évolution par rapport au premier.

2 Relevez les expressions qui ferment et réduisent l'espace. En quoi annoncent-elles le dénouement d'un récit de voyage ?

Le dénouement au théâtre

• **La tragédie :** les héros ne parviennent pas à infléchir le cours du destin ; la *« machine infernale »* (Cocteau) est sans surprise ; le plus souvent, la « catastrophe » (enchaînement fatal) provoque la mort de plusieurs personnages.
• **La comédie :** le dénouement est heureux ; les jeunes gens qui s'aiment, avec ou sans l'autorisation des pères, se marient. La plupart des personnages sont réunis.

3 Dans quelle mesure Voltaire s'inspire-t-il du théâtre pour écrire le dénouement de *Candide* ?

4 Quel rôle le dernier discours de Pangloss joue-t-il dans la conclusion du récit ?

Les principales caractéristiques du récit d'apprentissage

• Un récit centré sur un personnage.
• Des épreuves qui permettent au personnage d'évoluer.
• Un dénouement qui, l'évolution achevée, marque la maturité du personnage.

5 Dans quelle mesure ce dernier chapitre marque-t-il la fin d'un récit d'apprentissage ?

6 Quels personnages ont évolué entre leur première apparition dans le conte et la conclusion ? Quels personnages n'ont pas évolué ? Appuyez-vous également sur le début du chapitre XXX (l. 16 à 30, pp. 131-132) pour répondre.

7 En quoi le dénouement semble-t-il une parodie des contes traditionnels et des romans d'aventures ?

LA CONCLUSION D'UN CONTE PHILOSOPHIQUE

8 En quoi la métairie s'apparente-t-elle et s'oppose-t-elle à la baronnie du chapitre I ? Qu'en déduisez-vous ?

9 Quelles leçons Candide a-t-il tirées des rencontres avec le derviche et le bon vieillard (l. 72 à 115, pp. 133-134) ?

10 À qui répond Candide quand il dit : « *Il faut cultiver notre jardin* » ? Pourquoi, selon vous ?

11 En quoi le mode de vie des personnages, à la fin du conte, répond-il à la maxime de Candide ?

Approfondir la signification d'une expression

Pour dégager le sens d'une expression, on regarde :
– qui la prononce ;
– comment elle est liée aux événements rapportés ;
– ce que peut évoquer chacun de ses termes.

12 Quels sens peut-on donner à la maxime « Il faut cultiver son jardin » ?

Dossier
biblioLYCÉE

Candide

1. Structure de l'œuvre — 141
2. Voltaire, philosophe engagé — 142
3. Louis XV et les Lumières — 147
4. Une œuvre des Lumières — 152
5. Étude des personnages — 159
6. Portfolio — 163
7. Prolongements — 171

Le parcours de Candide.

Structure de l'œuvre

De la baronnie à la métairie : le parcours de Candide

Chapitre I

UN PARADIS ILLUSOIRE : LA BARONNIE
À la fin du chapitre, Candide, chassé par le baron, s'éloigne de Cunégonde qu'il aime.

Chapitres II à XVI : un héros en fuite

• Candide ne cesse de fuir, tombant d'un malheur dans un autre : la guerre, la noyade de Jacques, le tremblement de terre à Lisbonne et l'autodafé, la fuite en Amérique du Sud, le coup d'épée qui transperce le fils du baron, la tribu des Oreillons.
• Candide perd et retrouve Cunégonde et Pangloss ; il fait la connaissance de la vieille et de Cacambo.

Chapitres XVII et XVIII

UN PARADIS INACCESSIBLE : L'ELDORADO
Candide et son valet Cacambo arrivent miraculeusement dans le pays utopique de l'Eldorado ; Candide décide de s'en aller.

Chapitres XIX à XXIX : un héros en quête de bonheur

• Candide et Cacambo découvrent l'« abomination » de l'esclavage.
• Candide poursuit son voyage et découvre de nouveaux malheurs : le vol de sa fortune, la sottise des prétentieux, le triste destin des rois.
• Il fait la connaissance de Martin, retrouve Pangloss et le fils du baron, rachète Cunégonde et la vieille.

Fin du chapitre XXX

UN PARADIS À CRÉER : LA MÉTAIRIE
Candide chasse le fils du baron et épouse Cunégonde. Les personnages, réunis autour de Candide, trouvent un sens à leur existence.

Identité :
François-Marie
Arouet

Naissance :
21 novembre 1694
à Paris

Décès :
30 mai 1778 à Paris

Genres pratiqués :
poésie, théâtre,
essais, pamphlets,
contes
philosophiques

Dans un temps qui aspire à plus de raison et de liberté, Voltaire est profondément engagé dans son époque et incarne pour nous l'image du philosophe des Lumières.

I – Un jeune homme doué et provocateur

➥ Des études brillantes

Né à Paris le 21 novembre 1694, sous le règne de Louis XIV, François-Marie Arouet, dernier fils d'un notaire, grandit dans une famille bourgeoise aisée. De 1704 à 1711, le jeune Arouet poursuit des études brillantes au collège Louis-le-Grand, prestigieux établissement tenu par les jésuites. Il s'y forme à la rhétorique, à la versification en français comme en latin et découvre le théâtre ; en même temps, il tisse des liens d'amitié avec des enfants de la haute aristocratie.

Au sortir du collège, se conformant à la tradition familiale, le jeune homme commence des études de droit. Très vite, pourtant, ses relations avec son père se dégradent. Introduit par son parrain – l'abbé de Châteauneuf – dans le cercle libertin du Temple, il fait l'apprentissage de la galanterie et des plaisirs mondains.

➥ Le goût des défis

Placé clerc chez un procureur, le jeune homme s'ennuie, fréquente les gens du monde et se lance

Le cercle libertin du Temple

La société du Temple est une société littéraire et philosophique de la fin du XVIIe siècle où se retrouvent des libertins non conformistes qui prônent l'épicurisme (philosophie de la vie qui se propose de jouir des plaisirs de l'existence) et une philosophie déiste (croyance en un dieu abstrait, éternel, infini, créateur de l'univers).

dans la littérature, notamment la poésie satirique. Mais, lorsqu'il s'en prend au régent Philippe d'Orléans, il se retrouve exilé à Sully-sur-Loire en 1716, puis embastillé en 1717.

II – Voltaire est né

➡ Le favori des grands

C'est à la prison de la Bastille que François-Marie Arouet prend le pseudonyme de «Voltaire» – anagramme d'AROVET LI (Arouet Le Jeune) – et écrit la tragédie *Œdipe* qui lui vaudra, en 1718, un grand succès à la Comédie-Française. Entre 1720 et 1725, Voltaire connaît une période d'activité littéraire intense; il compose, en 1723, une épopée : *La Ligue* (devenue *La Henriade*). Le poète est apprécié dans les salons et à la Cour, et le jeune roi Louis XV le comble de faveurs.

➡ L'expérience anglaise

À la suite d'une querelle avec le chevalier de Rohan en 1726, son insolence lui vaut à nouveau la prison, puis l'exil en Angleterre.

L'exil transforme le poète mondain en philosophe. De 1726 à 1728, Voltaire apprend l'anglais, fréquente des savants et des gens de lettres et découvre la monarchie constitutionnelle, la tolérance et la littérature anglaise. Il forme le projet des *Lettres philosophiques* ou *Lettres anglaises* où il exalte le modèle libéral et critique l'absolutisme.

De retour en France, Voltaire s'enrichit dans des opérations financières; il n'aura ainsi jamais besoin de mécène, ses placements lui assurant une indépendance confortable. Il écrit des tragédies (*Brutus*, *Zaïre*, *La Mort de César*, etc.), un essai de critique littéraire *(Le Temple du Goût)* et une œuvre historique *(Histoire de Charles XII)*.

▸ UN ÉCRIVAIN ENGAGÉ
Voltaire mettra toutes les formes littéraires au service de son engagement.
«Tous les genres sont bons, sauf le genre ennuyeux», s'exclamait-il.

▸ UNE CÉLÈBRE QUERELLE
Au gentilhomme qui apostrophait ainsi le roturier : *«Monsieur de Voltaire, Monsieur Arouet, comment vous appelez-vous?»*, Voltaire aurait répondu : *«Monsieur, je commence mon nom et vous finissez le vôtre.»*

▶ À LIRE
Élisabeth Badinter,
dans *Émilie, Émilie
ou l'Ambition
féminine au
XVIIIᵉ siècle*, nous
présente deux
figures féminines
marquantes,
Mme d'Épinay et
Mme du Châtelet,
qui, entre
autres, traduisit
en francais
*Les Principes
mathématiques
de philosophie
naturelle*, ouvrage
de Newton écrit
en latin.

▶ PROTECTION
ROYALE
Madame de
Pompadour,
devenue
la maîtresse du
roi Louis XV en
1745, assure
la protection
de Voltaire
jusqu'en 1746.

III – Une liaison avec Madame du Châtelet

➡ Cirey

L'année 1733 est marquée par l'irruption d'Émilie du Châtelet dans la vie de Voltaire. Une liaison amoureuse et intellectuelle qui durera plus de seize ans. Craignant d'être poursuivi pour ses *Lettres philosophiques* qui ont fait scandale lors de leur parution en 1734, Voltaire se réfugie au château de Cirey, en Lorraine, auprès de Madame du Châtelet. Cette femme de lettres et de sciences sut y entretenir une atmosphère stimulante où l'étude s'associait aux divertissements. Voltaire fut heureux auprès de « *la divine abeille* », et l'on trouve l'écho de cette joie de vivre dans son poème épicurien *Le Mondain*.

➡ Une vie agitée

Jusqu'en 1744, c'est un temps d'effervescence créatrice. Voltaire reçoit ses admirateurs à Cirey et écrit abondamment : de nombreuses pièces, comédies ou tragédies telles *Alzire, Mahomet* et *Mérope*, mais aussi des poèmes, des traités scientifiques ou des essais tel le *Discours en vers sur l'homme*.

De 1744 à 1749, son exil à Cirey est interrompu par des séjours à Bruxelles, Paris, Berlin, et des voyages en Hollande. Un temps en faveur à la cour de Versailles, Voltaire est nommé historiographe de la Cour en 1745 puis, en 1746, « gentilhomme ordinaire de la chambre du roi ». Enfin, il est élu à l'Académie française.

En 1747, en raison d'une maladresse de courtisan, Voltaire choisit de se retirer, avec Madame du Châtelet, à la cour du roi de Pologne Stanislas, à Lunéville. Il publie alors un conte philosophique aux accents personnels : *Zadig ou la Destinée*.

Madame du Châtelet meurt deux ans plus tard des suites d'un accouchement, fruit de sa liaison

avec le poète Saint-Lambert. En proie au désarroi, Voltaire accepte les invitations pressantes de Frédéric II de Prusse.

IV – De nouveaux engagements et des retraites

➥ Le séjour en Prusse

En 1751, Voltaire rejoint la cour de Frédéric II à Berlin. Ce sont, au château de Sans-Souci, les retrouvailles concrètes du souverain éclairé et du philosophe des Lumières, qui avaient surtout entretenu jusqu'ici une importante correspondance. Des moments de complicité privilégiés qui ne durent pas. Un pamphlet écrit en 1753 vaut à Voltaire, et à sa nièce Mme Denis, un emprisonnement à Francfort. Pendant ce séjour tumultueux, Voltaire publie une œuvre historique, *Le Siècle de Louis XIV* (1751), et un conte philosophique, *Micromégas* (1752).

➥ *Les Délices*

Voltaire est chassé de Prusse et interdit de séjour à Paris. Après un bref passage en Alsace, il décide de s'installer aux portes de Genève. Dans sa propriété, *Les Délices*, en compagnie de sa nièce Mme Denis, il découvre la nature en même temps qu'il renoue avec l'ardeur polémique. Il est engagé dans son époque, sensible aux malheurs naturels ou humains. En novembre 1755, le tremblement de terre de Lisbonne ébranle fortement le philosophe déiste et l'entraîne dans un débat avec Rousseau sur la Providence. Il publie, l'année suivante, le *Poème sur le désastre de Lisbonne ou Examen de cet axiome : « Tout est bien »*. La guerre qui se rallume en Europe contribue à assombrir le climat de l'exil. Le conte philosophique *Candide* qui paraît en 1759 porte la marque de ce pessimisme.

Voltaire se sent observé, critiqué, menacé. Lui qui était venu chercher la tolérance à Genève se montre déçu et décide de quitter les lieux.

▶ **UN ROI-PHILOSOPHE**
Frédéric II, roi de Prusse (1740-1786), est fasciné par la langue et la culture française. Il reçoit Voltaire de 1750 à 1753. Adepte des Lumières, il est le modèle du despote éclairé.

▶ *CANDIDE*
Voltaire publie son conte en 1759, de façon anonyme.

Retour triomphal
de Voltaire.

V – Les derniers combats

➡ Ferney

« Après avoir vécu chez les rois, je me suis fait roi chez moi. » En 1760, Voltaire devient seigneur de Ferney, un domaine français proche de Genève. Pour assurer la prospérité du pays, il fait assécher les marais, crée une tannerie et une fabrique de montres et de bas de soie. Voltaire n'est pas coupé du monde à Ferney. Ce sont, au contraire, des années militantes au cours desquelles il lance un mot d'ordre : *« Écrasons l'infâme. »* Défenseur des victimes de la société, il prend la défense de Sirven (1764), du chevalier de La Barre (1765), qui sera tout de même décapité pour sacrilège, et obtient la réhabilitation de Jean Calas (1765). Voltaire devient l'incarnation de la lutte contre l'intolérance. Pendant cette période, celui qui se disait *« l'aubergiste de l'Europe »* est en relation avec tous les esprits éclairés de son temps. Il collabore à l'*Encyclopédie*, et sa production littéraire est impressionnante. Il publie le *Traité sur la tolérance* (1763), le *Dictionnaire philosophique portatif* (1764) et des contes philosophiques tels *L'Ingénu* (1767) ou *La Princesse de Babylone* (1768).

➡ Paris

En 1778, quatre ans après la mort de Louis XV, Voltaire effectue un retour triomphal à Paris. Affaibli, il connaît pourtant une apothéose en mars avec la représentation d'*Irène* à la Comédie-Française. Le 30 mai, au terme d'une longue agonie, Voltaire meurt à 84 ans, laissant ce testament : *« Je meurs en adorant Dieu, en aimant mes amis, en ne haïssant pas mes ennemis et en détestant la superstition. »*
Malgré les interdictions, on parvient à le faire enterrer en Champagne. L'Académie française, quant à elle, n'est pas autorisée à célébrer une messe de requiem.
Le 11 juillet 1791, le transfert de ses cendres au Panthéon est l'occasion d'une fête révolutionnaire.

③ Louis XV et les Lumières

I – 1750-1774 : un monde contrasté

➥ Des turbulences politiques

Dans les années 1750, la popularité de Louis XV le Bien-Aimé tend à faiblir. On lui reproche la présence, à ses côtés, d'une roturière[1] – Madame de Pompadour (née Poisson) –, un goût pour les plaisirs et une politique extérieure sans envergure. L'attentat de Damiens à son encontre, en 1757, s'inscrit dans ce climat de tension. La politique royale se durcit, les persécutions pour délit d'opinion se renforcent.

En Europe, on assiste à une instabilité des puissants : des rois sont détrônés, tel Auguste III, roi de Pologne (chap. XXVI).

Depuis 1756, l'Europe est en guerre. La France, alliée à l'Autriche, la Russie, la Suède et la Pologne, est opposée à l'Angleterre et la Prusse. Les batailles sont sanglantes. En 1757, les Français sont battus à Rossbach (Allemagne), où 10 000 hommes trouvent la mort et 7 000 autres sont faits prisonniers. Voltaire, frappé par cette *« boucherie héroïque »* (chap. III), est d'autant plus choqué qu'il éprouvait de l'admiration pour l'Angleterre et la Prusse où il avait séjourné.

➥ Une situation économique prospère

Durant les années 1750-1770, la France jouit d'une certaine prospérité, liée à une croissance économique et à un essor de l'industrie. La bourgeoisie aisée poursuit son ascension et détient l'essentiel du pouvoir économique.

La poussée démographique exige des approvisionnements accrus, d'où l'exploitation du maximum de terres possibles et l'avènement de nouvelles cultures (maïs, pomme de terre, betterave). Les

▶ **LE RÈGNE DE LOUIS XV**
À la mort de Louis XIV, Louis XV (1710-1774) n'a que 5 ans. Le pouvoir est confié à Philippe d'Orléans : c'est la Régence (1715-1723). Le règne personnel de Louis XV débute en 1723; le monarque est apprécié.

▶ **LA GUERRE DE SEPT ANS**
De 1756 à 1763, l'Angleterre et la France luttent sur mer et dans leurs colonies, tandis que, sur le continent, la Prusse affronte la coalition européenne. Le traité de Paris (1763) consacre la victoire de l'Angleterre qui prive la France de vastes possessions coloniales (Canada, Inde).

NOTE ◀
1. roturière : personne non noble.

physiocrates invitent l'État à ne pas intervenir dans la sphère économique.

Le commerce s'épanouit. Les ports de l'Atlantique (Nantes, Bordeaux) sont florissants grâce aux nombreux échanges avec les Antilles, et le développement du commerce triangulaire (achat d'esclaves en Afrique pour l'exploitation de la canne à sucre dans les Antilles et vente du sucre en Europe, par exemple) est un facteur d'enrichissement (chap. XIX). Toute une industrie naît du commerce colonial (distilleries, raffineries).

➡ **Avancées scientifiques et découverte du monde**

L'époque est marquée par d'importantes découvertes scientifiques et techniques. Les travaux de Newton commencent à être diffusés et permettent d'expliquer le mouvement des planètes autour du Soleil. Une place prépondérante est accordée à l'expérience, comme en témoignent les travaux de l'abbé Nollet dans le domaine de l'électricité et ceux de Lavoisier en chimie. De nombreux articles traitant de la médecine et de la chirurgie sont publiés dans l'*Encyclopédie*, tel celui sur l'inoculation de la variole, à l'origine de nos vaccins modernes. Académies et sociétés savantes se multiplient. Le mathématicien d'Alembert considère les inventeurs comme des «*bienfaiteurs du genre humain*». La science commence à rassurer l'homme sur lui-même et à lui faire prendre conscience de ses forces (chap. XVIII).

Fondée en 1752, l'Académie de marine donne un nouveau souffle aux grands voyages d'exploration. Les motivations sont désormais scientifiques, avec des équipages doublés de savants, de naturalistes qui étudient la faune, la flore, les mœurs des habitants. Bougainville, mandaté par Louis XV, contribue ainsi à la connaissance du Pacifique (1766-1769). Largement diffusés, les récits de voyage propagent le mythe du bon sauvage qui

permet aux philosophes de mettre en perspective les sociétés européennes (chap. XVI).

II – Un modèle de l'esprit critique : le philosophe

La confiance en la raison

Les Lumières du XVIII[e] siècle sont désormais celles de la raison et de la science qui rejettent toute forme de dogmatisme. Par son esprit critique et sa liberté de pensée, le philosophe s'affranchit des préjugés et des superstitions. En cela, il est un héritier du libertin du XVII[e] siècle.

Un homme d'action engagé

Homme d'action, le philosophe est engagé dans les combats de son temps. *« Notre philosophe ne se croit pas en exil dans ce monde »*, écrit l'encyclopédiste Dumarsais (article « Philosophe »). La seconde moitié du XVIII[e] siècle voit le triomphe de l'esprit de contestation et de réforme. À l'instar de Voltaire, le philosophe s'engage dans les affaires politiques, religieuses ou judiciaires au nom de la défense des libertés.

Contourner la censure

En plus de la censure royale, les auteurs sont confrontés à la censure de l'Église et à celle des Parlements. Pour éviter l'emprisonnement ou l'exil, ils ont recours à différents moyens, tels que l'impression à l'étranger ou la publication anonyme (*Candide* à Genève et sans nom d'auteur). Mais la ressource la plus efficace est l'argumentation indirecte, c'est-à-dire le détour de la fiction. Le conte philosophique, le regard distancié d'un personnage naïf, l'ironie et l'apparente neutralité qui incitent le lecteur à réagir permettent à Voltaire de dénoncer, dans *Candide*, les atteintes à la personne.

▶ **LA DEVISE DES LUMIÈRES**
« Sapere aude ! Aie le courage de te servir de ton propre entendement [faculté de juger] : telle est donc la devise des Lumières », affirme le philosophe Kant en 1784.

▶ **LE LIBERTIN**
Au XVII[e] siècle se développe, sous l'influence d'érudits tels que Gassendi ou Cyrano de Bergerac, le libertinage de pensée. Il s'agit de remettre en question ce qui entrave la libre pensée religieuse, politique et morale. Les libertins de mœurs, au XVIII[e] s., se réclament du même courant philosophique, mais leurs excès (débauche, profanations) ont contribué à les discréditer.

III – Les valeurs des Lumières
➡ **La politique**

À l'exception de Jean-Jacques Rousseau, aucun des philosophes n'est républicain. En revanche, partisans d'une désacralisation du pouvoir, ils rejettent unanimement la monarchie absolue de droit divin. Voltaire attend d'un roi qu'il rationalise et modernise l'État pour le bien de ses sujets selon le modèle du « despote éclairé » inspiré par le roi de Prusse Frédéric II. Dans *De l'esprit des Lois* (1748), Montesquieu défend le principe de « séparation des pouvoirs » (exécutif, législatif et judiciaire) et prône, comme Voltaire, un régime parlementaire inspiré du modèle anglais.

➡ **La religion**

Sur la question de l'existence de Dieu, les philosophes (avant la tentation de l'athéisme qui marquera la fin du siècle) ne s'opposent pas aux croyances de l'époque. Comme Montesquieu, Voltaire est déiste. Pour lui, l'univers ne saurait être le fruit du hasard ; un *« grand horloger »* est nécessaire à l'origine de l'horloge, de la vie. Mais Dieu n'est qu'un principe, et Voltaire Le tient à l'écart des dérapages concrets qui jalonnent notre existence terrestre. Il critique les dogmes et les rites qui, selon lui, vont à l'encontre de la raison. Le clergé est inutile et considéré comme une source d'obscurantisme et de fanatisme.

➡ **La philosophie du bonheur et la question de l'optimisme**

• **La philosophie du bonheur**

Selon Diderot, *« il n'y a qu'un devoir, c'est être heureux »*. Les philosophes des Lumières croient en l'homme et placent son bonheur au cœur de leur pensée. Mais, dans cette quête et face à un monde chaotique, comment ne pas s'inter-

> ▶ **LE MODÈLE ANGLAIS**
> En Angleterre, le pouvoir du roi est contrôlé par un parlement. La monarchie parlementaire garantit les libertés individuelles par la *Déclaration des droits* (1689) et par l'*Habeas corpus* (1679).

roger sur l'existence du Mal ? Voltaire, dans le *Dictionnaire philosophique portatif*, distingue le mal physique et le mal moral. Si le mal moral (les guerres, la misère, l'esclavage, le fanatisme) est causé par l'homme et peut être combattu par lui, le mal physique (les maladies, les catastrophes…) vient de la nature.

Candide affronte les différentes formes du Mal, et les chapitres V et VI font allusion au tremblement de terre de Lisbonne qui entraîna la mort de dizaines de milliers de personnes en 1755. En publiant son *Poème sur le désastre de Lisbonne* l'année suivante, Voltaire déclenche un vaste débat européen : devant tant d'horreurs, peut-on encore croire en la Providence et rester optimiste ?

• **La question de l'optimisme[1]**

Le sous-titre de *Candide* – « ou l'Optimisme » – prouve que la question de l'optimisme est au centre de la réflexion de Voltaire en 1759. Dans *Le Mondain*, Voltaire célébrait le bonheur terrestre, lié à la civilisation. Au fil du temps, il modère ses élans, et son enthousiasme ne résiste pas à l'épreuve des faits. Voltaire s'en prend alors à la doctrine de Leibniz qu'il caricature dans son conte : « *L'optimisme est désespérant. C'est une philosophie cruelle sous un nom consolant.* »

Loin de se décourager toutefois, Voltaire incite les hommes à organiser eux-mêmes leur bonheur et à prendre en main leur destin. C'est cette invitation à l'action que l'on retrouve formulée dans la conclusion de *Candide* : « *il faut cultiver notre jardin* ».

▶ **GOTTFRIED LEIBNIZ (1646-1716)**
Ce philosophe allemand est l'auteur des *Essais de théodicée* (1710), où il défend la juste cause du Créateur. Dieu seul est parfait et tout ce qui n'est pas Lui est imparfait. Selon Leibniz, Dieu a ainsi créé « *le meilleur des mondes possibles* » et le Mal apparaît comme nécessaire à l'harmonie de l'ensemble, de même que « *les ombres rehaussent les couleurs* ».

NOTE

1. En 1759, l'*optimisme* est un néologisme qui désigne une réponse philosophique à la question du Mal, notamment la réponse de Leibniz.

④ Une œuvre des Lumières

Au XVIIIe siècle, la prose narrative n'est pas soumise à des règles contraignantes, telles celles fixées par Nicolas Boileau dans son *Art poétique* (1674). Le récit est le terrain de la liberté. On ne s'étonnera donc pas que *Candide* soit une œuvre au croisement de plusieurs genres, que Voltaire va s'employer à parodier.

▶ **LE ROMAN D'APPRENTISSAGE**
Le roman d'apprentissage, aussi appelé « roman d'éducation » ou « roman initiatique », apparaît en Allemagne au XVIIIe siècle et présente le parcours d'un jeune héros aux prises avec les difficultés de l'existence. Les épreuves forgent sa personnalité et sa vision du monde.

I – Un roman ?

➡ Roman d'aventures et roman d'amour

Duels, naufrages, enlèvements, voyages… les ingrédients du roman d'aventures sont tous réunis dans *Candide*, qui s'apparente aussi au roman d'amour. Désespéré d'avoir été éloigné de sa bien-aimée (chap. I), notre héros erre au milieu des champs de bataille (chap. III). Il retrouve Cunégonde, puis, l'ayant perdue à nouveau, il n'aura de cesse de la rechercher.

➡ Roman d'apprentissage

Candide croise un autre genre romanesque : le roman d'apprentissage. En effet, le jeune héros, incapable de penser par lui-même au début du récit, surmonte des épreuves et acquiert progressivement une pensée autonome. Chassé d'un monde régi par le baron dans le premier chapitre, il exclut le fils du baron à la fin du récit et devient le maître de son propre domaine.

➡ Une parodie de roman

L'entrecroisement du roman d'aventures, du roman d'amour et du roman d'apprentissage surprend. Les aventures sont, qui plus est, invraisemblables : un séjour dans un pays utopique (l'Eldorado), des personnages que l'on croit morts (Cunégonde, Pangloss, le fils du baron) et qui réapparaissent

miraculeusement. Ainsi, *Candide* peut être lu comme une parodie du roman d'aventures et, plus particulièrement, du roman picaresque en vogue au XVIIIᵉ siècle. Voltaire reprend les codes du genre romanesque pour mieux s'en moquer et clamer sa liberté.

Par ailleurs, les personnages sont simplifiés à l'extrême et le lecteur ne peut s'identifier à aucun d'eux, pas même au personnage éponyme[1], trop naïf pour être crédible. S'il est difficilement le héros d'un roman d'aventures, Candide ne serait-il pas plutôt un personnage de conte ?

II – Un conte ?

➠ L'*incipit* d'un conte traditionnel

La tournure d'ouverture « *Il y avait en Westphalie* » annonce le genre ; le premier chapitre le confirme : l'action va se dérouler dans « *le plus beau des châteaux* » appartenant au « *plus grand baron de la province* ».

Les personnages présentés sont simplifiés. Ainsi, les enfants ressemblent à leurs parents : Cunégonde est « *grasse* » comme sa mère, et son frère, « *en tout digne de son père* », n'a pas de nom mais est simplement « *le fils du baron* ». Candide, quant à lui, n'a qu'un surnom, comme Cendrillon ou le Petit Poucet.

➠ La composition attendue d'un conte

Voltaire, dans *Candide*, reprend le schéma traditionnel du conte :
– **situation initiale** : la vie stable et apparemment heureuse dans la baronnie ;
– **élément déclencheur** : Candide, « *chassé du paradis terrestre* », est séparé de Cunégonde (chap. I) ;
– **péripéties** : les aventures de Candide à la recherche de Cunégonde ;

> ▶ **LE ROMAN PICARESQUE**
> À l'origine, au XVIᵉ siècle, le roman picaresque désigne les récits espagnols de forme autobiographique racontant les aventures d'un *picaro*, c'est-à-dire d'un homme de condition modeste. En France, Lesage, auteur de *Gil Blas* (1715-1735), reprend le genre en accentuant les péripéties.

NOTE ◀
1. **éponyme** : qui donne son nom à l'œuvre.

– élément de résolution : Candide rachète Cunégonde (chap. XXIX) ;

– situation finale : Candide épouse Cunégonde et vit heureux avec ses compagnons dans la métairie. Mais la jeune femme que Candide retrouve est devenue *« laide »*, *« acariâtre »* et *« insupportable »* : Voltaire se moque des récits dans lesquels tout se finit bien.

➡ La parodie d'un conte traditionnel

La dégradation progressive des personnages nous éloigne du conte de fées : la *« belle Cunégonde »* est *« bien laide »* ; la vieille a perdu une fesse ; Pangloss n'est plus qu'*« un gueux tout couvert de pustules »*.

Le procédé de l'hyperbole, fréquent dans le conte merveilleux, est ici détourné. *« Le meilleur des mondes »* est plutôt, en effet, le théâtre de nombreux malheurs. Les archétypes du conte sont, très souvent, mis à mal comme lors du dénouement : *« l'impertinence extrême du baron le déterminait à conclure le mariage »*. Nous sommes fort loin de la fin heureuse de *Cendrillon*. Voltaire parodie donc le genre traditionnel et écrit un conte à l'envers : tout va mal et se termine mal.

III – Un conte philosophique

Portant le masque d'un *« certain docteur Ralph »*, Voltaire emprunte les voies de la fiction pour contourner la censure et exprimer les valeurs des Lumières.

➡ Le titre et le projet de l'œuvre :
la remise en cause de l'optimisme

Après *Zadig ou la Destinée* (1747-1748), le titre *Candide ou l'Optimisme* associe le nom d'un personnage à un terme abstrait appartenant, au XVIII[e] siècle, au vocabulaire de la philosophie (*cf.* p. 151). Voltaire annonce ainsi que son récit

ne sera pas une simple histoire merveilleuse, mais bien le vecteur d'une certaine vision du monde. L'optimisme devient, sous sa plume, *« la rage de soutenir que tout est bien quand on est mal »*. Pour servir la critique, le malheur est décliné au masculin et au féminin : celui-ci n'épargnant personne, impossible, dès lors, de croire, avec Pangloss – c'est-à-dire avec Leibniz –, que nous habitons le *« meilleur des mondes possibles »*. Cette dénonciation est le fil qui noue entre eux les épisodes du voyage.

➡ Le rejet du dogmatisme

Si Pangloss incarne la philosophie de Leibniz, il représente également toute théorie qui refuse de se confronter à la réalité. Les malheurs n'ont eu aucun effet sur lui et les discours qu'il tient à la fin du conte ressemblent fort à celui du chapitre I. Le baron et son fils prisonniers de leur vision aristocratique, le pasteur protestant (chap. III) et les sages de *« l'université de Coïmbre »* (chap. VI) sont, eux aussi, enfermés dans des dogmes dénoncés par Voltaire.

Comme dans *Zadig*, ce rejet du dogmatisme va de pair avec une défense de l'expérience. Candide apprendra davantage de ses voyages et ses rencontres que de son maître Pangloss.

➡ La leçon du jardin

À la fin du conte, Candide, faisant taire Pangloss, propose un autre savoir : *« Je sais aussi […] qu'il faut cultiver notre jardin. »* Cette leçon est le fruit de deux rencontres qui ont lieu dans le chapitre XXX : celle du derviche et celle du *« bon vieillard »*.

Quand Pangloss, désireux de discuter philosophie avec le derviche, lui demande, à propos du malheur sur Terre : *« Que faut-il donc faire ? »*, ce dernier lui répond : *« Te taire. »* Raisonner au sujet

> ▶ *ZADIG OU LA DESTINÉE*
> Comme Candide, Zadig manque plusieurs fois de mourir ; il est aussi séparé de la reine Astarté, la femme qu'il aime. Mais, après qu'un ange est venu expliquer que les souffrances font partie d'un plan divin, il épouse la reine et voit ses qualités récompensées. *Candide* est plus sombre que ce récit écrit douze ans auparavant.

de ce que l'on ne peut comprendre ne sert à rien. Le *« bon vieillard »*, assis *« sous un berceau d'orangers »*, prolonge cette leçon en cultivant son jardin à l'écart des affaires publiques.

Candide, loin des théoriciens, fait siennes ces deux leçons ; les personnages, malmenés par l'existence, le suivront et trouveront un équilibre en exerçant leurs talents *« sans raisonner »*. Mais que penser d'une telle leçon sous la plume d'un écrivain qui n'a jamais cessé de prendre position dans les débats de son temps ?

IV – Une œuvre des Lumières

Voltaire, dans ses contes, invite à une double lecture. La première suit le voyage de Candide, se laisse porter par les archétypes du roman et du conte ; la seconde écoute le philosophe des Lumières qui s'en prend à la société et à ses institutions.

➥ Réflexion sur le pouvoir politique et sur la société

La société de castes de l'Ancien Régime est épinglée : attaché à des traditions dépourvues de sens, le baron refuse Candide pour gendre dans le chapitre I ; l'obstination du fils du baron, au début du chapitre XXX, souligne la rigidité de la noblesse.

Les rois sont aussi sévèrement critiqués, qu'il s'agisse de l'étiquette[1], qui les écarte de leurs sujets, ou de leur politique. En effet, les guerres qu'ils entreprennent, dans le conte, paraissent aussi cruelles qu'absurdes, et le *« droit public »* semble n'être qu'une légalisation des faits de guerre. Par ailleurs, dans le chapitre XXV, les six rois déchus témoignent de l'instabilité des monarchies en Europe.

Le modèle à suivre se trouve dans l'Eldorado ; contrôlé par les lois et éclairé par la raison, son roi privilégie la liberté et reçoit, sans cérémonie,

▶ **MODÈLES POLITIQUES DES LUMIÈRES**
Le roi de l'Eldorado s'inspire à la fois de la monarchie constitutionnelle des Anglais, que Voltaire admirait, et des despotes éclairés comme Catherine II de Russie et Frédéric II de Prusse, chez qui il avait résidé.

→ **NOTE**

1. **étiquette :** cérémonial en usage dans une Cour.

Candide et son valet Cacambo, car l'usage, dans ce pays, *« est d'embrasser le roi et de le baiser des deux côtés »*. Ainsi, le souverain de l'Eldorado tend un miroir inversé à Louis XV tout en se faisant le porte-parole des philosophes des Lumières.

➡ L'économie

Dans le conte, commerce et escroquerie se confondent : le négociant Vanderdendur torture ses esclaves et vole Candide. Le circuit triangulaire qui permet aux Européens d'acheter du sucre à bas prix est fortement critiqué dans le célèbre passage du chapitre XIX.

L'Eldorado présente, là encore, le modèle à suivre : si l'économie est prospère, c'est parce que *« les hôtelleries établies pour la commodité du commerce sont payées par le gouvernement »*.

➡ Critique de la religion

Voltaire ne manque pas une occasion de dénigrer les institutions religieuses. Le fils du baron, cumulant l'obscurantisme de la noblesse et celui des jésuites, n'aura pas sa place dans la métairie. Frère Giroflée, quant à lui, est accepté, mais Voltaire s'étonne de ce qu'il soit devenu *« honnête homme »*.

La religion est principalement accusée d'intolérance, qu'il s'agisse des catholiques avec l'Inquisition (chap. VI) ou des protestants avec le pasteur hollandais (chap. III).

Le modèle d'une religion sans clergé se trouve, une fois de plus, dans le pays utopique des chapitres XVII et XVIII.

➡ La liberté

« Tous les hommes sont libres », affirme le souverain de l'Eldorado. Cette valeur défendue par les philosophes des Lumières est bien loin d'être atteinte hors de ce pays merveilleux. Ailleurs, les

> **▶ LE REGARD ÉTRANGER**
> Voltaire dénonce les travers des institutions de son temps en utilisant, comme Montesquieu dans les *Lettres persanes* (1721), le procédé du regard étranger. Les Persans en visite en France observent les mœurs et les institutions avec un recul à la fois divertissant et instructif. Zadig, Candide puis l'Ingénu adoptent la même distance.

personnages agissent souvent sous la contrainte ou pour tenter d'y échapper. Candide est chassé, enrôlé de force, emprisonné, fouetté… Voltaire lui-même, sous les traits du docteur Ralph, avance masqué pour échapper à la censure.

La liberté se manifeste aussi dans l'écriture : Voltaire joue avec les genres, remet en cause les codes littéraires ; son style est inventif et provocant, son conte dynamique et séduisant.

➡ **L'esprit des Lumières**

Candide témoigne des valeurs des Lumières, mais aussi de leur esprit, de cette légèreté qui ne nuit pas pour autant au sérieux des débats. Sans doute la censure y est-elle pour quelque chose.

En effet, quand un écrivain avance masqué, l'implicite est de mise. La célèbre ironie voltairienne pousse cet implicite à son plus haut degré : la «*belle cérémonie*» de l'autodafé est ainsi une mise à mort monstrueuse qui invite à lire le texte à l'envers.

Le registre comique (surtout l'ironie) et le caractère ludique du conte séduisent le lecteur pour mieux servir l'argumentation. Acceptant de s'impliquer dans sa lecture, déchiffrant l'implicite, le lecteur fait sienne la critique voltairienne. Comme souvent au XVIIIe siècle, le jeu et le plaisir ouvrent les chemins de la raison.

I – Les personnages épisodiques

Certains personnages apparaissent brièvement dans le récit pour illustrer la pensée critique de Voltaire.

➡ **Les personnages critiqués**

• **Le baron de Thunder-ten-tronckh et son fils** : en chassant Candide, le baron lui permet de découvrir la vérité du monde. Après sa mort, son fils le remplace. Devenu jésuite et opposé jusqu'au bout au mariage de sa sœur avec Candide, il incarne l'étroitesse d'esprit des religieux et des nobles.

« Le fils du baron paraissait en tout digne de son père » (chap. I).

• **Les rois abare et bulgare** lancent leurs armées l'une contre l'autre – ce qui donne à Voltaire l'occasion de critiquer la guerre (chap. III).

• **Le matelot** (chap. V), cupide et sans pitié, représente la part sombre de l'humanité. En sauvant ce méchant, Voltaire se moque de la Providence.

• **Monsieur Vanderdendur**, le *« fameux négociant »*, est cruel envers ses esclaves et malhonnête envers ses clients. Son nom et son comportement dans le chapitre XIX alimentent la critique des institutions commerciales, notamment celles liées au commerce triangulaire.

« Est-ce M. Vanderdendur, dit Candide, qui t'a traité ainsi ? – Oui, Monsieur, dit le nègre, c'est l'usage » (chap. XIX).

• **Pococuranté** : comme son nom l'indique, ce riche noble vénitien a peu de soucis. Pourtant, son caractère désabusé laisse entendre, dans le chapitre XXV, que la noblesse est une caste sociale anachronique au XVIIIe siècle.

• **Les représentants des différentes religions** : le pasteur protestant (chap. III), le grand inquisiteur (chap. VI et IX), le juif pratiquant (chap. IX), le *« petit abbé périgourdin »* (chap. XXII) et Frère Giroflée (chap. XXIV et XXX) permettent à Voltaire de dénoncer, au fil du récit, l'obscurantisme, l'hypocrisie et l'intolérance des religieux.

➡ Les victimes : critique de l'optimisme et dénonciation des institutions

• L'anabaptiste Jacques, bien qu'emblème de la vertu, meurt noyé lors du tremblement de terre de Lisbonne (chap. V). Voltaire montre ainsi que rien ne peut justifier le Mal.

• L'esclave de Surinam : son état pitoyable et le discours qu'il tient constituent un violent réquisitoire contre l'esclavage et le commerce triangulaire (chap. XIX).

• Les six rois déchus : leur nombre comme leur destin évoqués dans le chapitre XXVI expriment la fragilité des institutions politiques et, plus généralement, des destinées humaines.

➡ Les modèles

• Les habitants d'Eldorado se montrent accueillants et mettent en pratique toutes les valeurs des Lumières.

• Le roi d'Eldorado, figure du monarque éclairé exerçant son autorité dans le cadre d'une monarchie réglementée par des lois, incarne le pouvoir politique dont rêvent les philosophes des Lumières.

II – Les personnages autour de Candide

➡ Trois destins de femmes

• Cunégonde

Héroïne du récit et objet de la quête de Candide, la fille du baron est réduite à son aspect physique. Ironie bien voltairienne : la sainte dont elle porte le nom se serait illustrée par sa chasteté ! Dépourvue de réels sentiments et de morale, Cunégonde ne sait que séduire et profiter des occasions qui se présentent : c'est ainsi qu'elle abandonne notre héros pour épouser, en Amérique, un riche gouverneur. Elle fait partie des personnages qui évoluent à la toute fin du conte : jeune fille « appétissante »

dans le chapitre I, elle devient une « *excellente pâtissière* ».

• Paquette

Le suffixe de son nom exprime sa condition de servante et permet de décliner la condition féminine dans un milieu modeste. Son destin n'est pas très différent de celui de Cunégonde : elle séduit les hommes et devient leur victime.

• La vieille

Ce personnage, qui fait son apparition à la toute fin du chapitre VI, semble une version plus âgée de Cunégonde : aristocrate comme elle, elle subit la cruauté des hommes, mais le récit de ses innombrables malheurs prend une dimension universelle et allégorique (chap. XI et XII). Elle sait également se montrer opportuniste et intéressée en conseillant Cunégonde. De mauvaise humeur comme la jeune femme à la fin du récit, elle trouve, elle aussi, sa place dans la « *petite métairie* » en prenant soin du linge.

➥ Deux philosophes

• Pangloss

Son nom, d'inspiration grecque, signifie « toute langue » et le définit parfaitement. Pangloss est le précepteur de Candide, un « oracle » qui parle mais n'agit pas. Incarnant le philosophe Leibniz que Voltaire a pris pour cible dans ce conte, il ne cesse d'affirmer que « *tout est nécessairement pour la meilleure fin* ». Aveugle aux abominations qui se produisent dans ce « *meilleur des mondes possibles* » comme à ses propres malheurs, il est, au départ, le maître à penser de Candide. Dans le dernier chapitre, notre héros fait taire ce philosophe borné.

• Martin

Engagé comme compagnon par Candide à la fin du chapitre XIX, Martin est tout le contraire de

Pangloss : « *Ceux qui ont avancé que tout est bien ont dit une sottise : il fallait dire que tout est au mieux* » (chap. I).

Martin : « *Travaillons sans raisonner ; c'est le seul moyen de rendre la vie supportable* » (chap. XXX).

Pangloss. Son pessimisme est tout aussi systématique que l'optimisme de Pangloss, et il permet à Candide de trouver sa propre voie. Le pessimisme est toutefois une tentation pour Voltaire puisque Martin prononce une des leçons du conte.

➥ Cacambo : valet et ami

Ce personnage aux multiples facettes fait son apparition au chapitre XIV. Auxiliaire efficace, instruit par ses multiples expériences, il trouve toujours une solution concrète aux problèmes les plus délicats et prend souvent l'initiative (chap. XIV). Son métissage et son riche passé témoignent de la diversité de la nature humaine et des destins.

« Il avait été enfant de chœur, sacristain, matelot, moine, facteur, soldat, laquais » (chap. XIV).

III – Candide

Si l'on se réfère à l'étymologie latine de son nom *(candidus)*, notre héros est d'un blanc éclatant. Ce blanc représente sa pureté, son innocence heureuse. Son voyage va lui permettre de révéler ses qualités. Pourtant, il quittera l'Eldorado dans l'espoir d'être plus riche que tous les rois réunis : ce goût pour l'argent et le pouvoir chez cet *« esprit le plus simple »* ne peut alors que nous faire désespérer de la nature humaine.

« Sa physionomie annonçait son âme. Il avait le jugement assez droit, avec l'esprit le plus simple » (chap. I).

Par ailleurs, cette candeur, ce blanc évoquent aussi le vide. En effet, Candide n'existe pas encore au début du conte, car il vit dans l'ombre de Pangloss et de Cunégonde. Au fil du récit d'apprentissage, les épreuves qu'il traverse lui donnent une épaisseur et une autonomie. Voltaire, d'ailleurs, lui confie la maxime de conclusion.

« Ô Pangloss ! s'écria Candide, tu n'avais pas deviné cette abomination ; c'en est fait, il faudra qu'à la fin je renonce à ton optimisme » (chap. XIX).

Que son nom évoque la pureté ou le vide, Candide pose sur le réel un regard ingénu qui invite le lecteur à prendre conscience du monde qui l'entoure.

Portfolio

ANALYSE D'UNE IMAGE FIXE

LES 3 ÉTAPES DE LECTURE

1. Je découvre et je me documente
• De quel type d'image s'agit-il (tableau, photo, dessin, caricature, affiche...) ? Que représente-t-elle ? Quel est son contexte de création ?
• Quelles sont mes premières réactions ?

2. J'observe
• Qu'est-ce qui est représenté (au premier plan et au-delà) ?
• Qu'est-ce qui me semble important (sujet, composition, graphisme, couleurs, lumière, genre...) ?

3. J'interprète
• L'image a-t-elle une fonction descriptive, informative, argumentative, esthétique ?
• Que cherche à exprimer, à transmettre l'artiste ? Quelle émotion suscite-t-il ?

COMPOSITION DE L'IMAGE

1. Composition générale
• Cadrage : s'agit-il d'un plan large, d'un plan rapproché, d'un gros plan ?
• Construction des plans : premier plan, second plan, arrière-plan, profondeur, perspective.
• Point de vue adopté : frontal, en plongée, en contre-plongée ?

2. Axes et structure
• Lignes de force (en noir sur le document) : les intersections entre les lignes verticales et horizontales constituent les points forts de l'image, où sont souvent situés les motifs principaux ; ces lignes et ces points créent l'ossature de l'image et guident le regard.
• Lignes de fuite (exemples en gris) : lignes que suit le regard de l'observateur selon la perspective ; elles déterminent le point de fuite, qui peut se trouver à l'intérieur ou hors de l'image.
• Masses : comment s'organisent-elles (espace chargé ou aéré, équilibré ou déséquilibré...) ? Quelle est la place des personnages ou des objets par rapport au décor ?

Pieter Brueghel l'Ancien, *La Tour de Babel*

Huile sur bois
(1,55 m x 1,14 m), 1563,
musée d'Histoire de l'art
de Vienne.
Document 1 au verso de
la couverture.

Pieter Brueghel (ou Bruegel), dit Brueghel le Vieux ou l'Ancien (v. 1525-1569), est considéré comme une des figures marquantes de la peinture hollandaise de la Renaissance. Sans renier la tradition médiévale, il témoigne de l'importance de la perspective à cette époque. Son œuvre est le plus souvent narrative.

➡ **Je découvre et je me documente**

• **Un grand tableau narratif.** *La Tour de Babel* est, à l'image du monument qu'elle représente, une toile de grande taille susceptible de frapper l'imagination.
Inspiré sans doute par les chantiers des cathédrales gothiques, Brueghel peint la construction de la tour. Les bateaux livrent les matériaux ❶, puis les ânes ou les chevaux tirent les charrettes ❷ jusqu'au chantier ; là, des roues actionnées par des hommes ❸ permettent de hisser les blocs les plus lourds. La tour semble curieusement éventrée : s'agirait-il aussi de sa destruction ?
La ville, les navires et le costume du commanditaire surveillant les travaux, au premier plan ❹, évoquent sans hésiter la Hollande (Anvers ?) à la Renaissance. Pourtant, la forme de la tour, bien différente des monuments de l'époque, ainsi que le titre de la toile nous renvoient à une réalité plus ancienne.
• **Un récit biblique.** Si le tableau suggère l'Europe que connaît le peintre, il met en scène un passage de la Bible situé juste après le Déluge. Menés par le roi Nemrod et unis par une langue commune héritée d'Adam et Ève, les hommes partagent le projet de construire une grande tour susceptible de rejoindre le Ciel. Mais Dieu punit leur orgueil en détruisant la tour et en multipliant les langues. *Babel* pourrait signifier « porte de Dieu » ou bien « effondrement » selon l'étymologie retenue.

Le récit témoigne des grands édifices religieux mésopotamiens (Etemenanki a sans doute fasciné les Hébreux), de la diversité des langues comme source de conflits et de l'orgueil humain (l'*hybris*, la « démesure » chez les Grecs). Mais les interprétations ne vont pas toutes dans le sens du châtiment divin. La tour de Babel célèbre aussi le génie de l'homme, et la multiplication des langues pourrait être comprise comme le don d'une diversité enrichissante.

➠ J'observe

Les différents plans. Le milieu du tableau, plan central, est occupé par la tour. Sa démesure est suggérée par la spirale, les nuages qui coiffent les derniers étages et le fait que le monument touche presque le bord du cadre. Les personnages, les bateaux et la ville servent d'échelle pour mesurer l'ampleur du projet.
Le premier plan est occupé par Nemrod, le commanditaire de l'ouvrage ; il est accompagné de son architecte, en jaune ❹. Les personnages à genoux apportent une note orientale à cette scène inspirée par le contexte politique de la Renaissance. Comme souvent à cette époque, l'arrière-plan déroule avec netteté un paysage qui crée un effet de profondeur : la ville puis la campagne et, au loin, des collines.
Les couleurs. On entre dans le tableau par le premier plan en bas à gauche : le regard est accroché par les couleurs vives des vêtements. La ligne verte des arbres introduit le second plan et équilibre la brique ❺ en haut de la tour.
Claire, cette dernière se détache sur un fond de couleurs froides : la campagne, la mer et le ciel. Par contraste avec le bleu, le rouge de la brique ❺, au sommet, accentue l'impression de hauteur.

➠ J'interprète

Construction et/ou destruction ? La tour apparaît d'emblée comme inachevée, ouverte. La livraison des matériaux et les artisans au travail indiquent qu'elle est en construction. Cependant, sa destruction ordonnée par Dieu dans le récit biblique semble également racontée.
Une réflexion sur le rêve des hommes. Sans doute, comme à son habitude, Brueghel utilise-t-il le récit biblique comme prétexte à une toile narrative riche en détails. Le rêve de Nemrod devient ici celui de la Renaissance : la ville, le port, la tour multipliant les arcades et les corridors matérialisent le rêve d'un monde dense, urbanisé, que l'on retrouvera, deux siècles plus tard, dans le chapitre XVIII de *Candide*.
Mais orgueil et soif de pouvoir précipitent les actions des hommes. Ils ne savent pas se contenter de ce qu'ils ont et veulent toujours davantage. L'architecture intérieure de l'édifice semble absurde. Les fondations et les premiers étages ne sont pas encore assurés que la tour continue dangereusement de s'élever. C'est la démesure même du monument qui le condamne.

Antoine Watteau, *Pèlerinage à l'île de Cythère*

Huile sur toile
(129 × 194 cm), 1717,
musée du Louvre (Paris).
En 1718, Watteau réalisa
une variante intitulée
*Embarquement pour
Cythère*.
Document 2 au verso
de la couverture.

Antoine Watteau (1684-1721) est formé à Paris dans l'atelier du peintre Claude Gillot, spécialiste des sujets de la comédie italienne. Devenu l'élève du décorateur Claude Audran, qui exerce au palais du Luxembourg, il y découvre Titien et Véronèse mais aussi Rubens. En 1712, il devient membre de l'Académie royale, qui crée pour lui, en 1717, le genre de la fête galante.

➠ Je découvre et je me documente

• **Une scène charmante et mystérieuse.** Le tableau associe amour et nature dans une scène raffinée, comme au théâtre. Le jardin n'a rien de sauvage. Les personnages portent des vêtements à la mode de l'époque. Une farandole de couples se dirige vers une embarcation ❶ décorée. Le mystère tient notamment à leur destination.

• **Une fête galante.** Cette toile inaugure le genre de la *fête galante* sous la Régence. Ce genre, représentant des couples amoureux en plein air, renvoie à une période où les nobles recherchent plaisirs et frivolités en réaction à l'austérité de la fin du règne de Louis XIV.

• **Le titre.** Les pèlerins qui se trouvent sur l'île, certains munis de bâtons, sont des couples amoureux. Selon la mythologie, Cythère est une île grecque de la mer Égée dont les eaux ont vu naître Aphrodite, la déesse de l'Amour.

➠ J'observe

• **La composition.** Au premier plan, trois couples ❷ en galante conversation s'apprêtent sans doute pour le départ. Une statue d'Aphrodite ❸ domine la scène.
Au second plan, la suite du cortège se dirige vers la barque. L'arrière-plan est envahi par le vert et le bleu de la mer et du ciel associé au rose des montagnes.

• **Le jeu des lignes.** Le tableau se lit de droite à gauche. Des lignes verticales (les arbres, la statue) encadrent le cortège d'amoureux. La médiane horizontale dissocie deux mondes : les personnages évoluent en dessous, tandis que, dans la moitié supérieure, se détachent le buste d'Aphrodite et quatre angelots divins. La médiane verticale nous offre, à droite, une forêt dense et, à gauche, une échappée vers la mer et le ciel qui constitue un point de fuite. Les lignes courbes surtout créent un rythme ondulant. Certains personnages, aux formes gracieuses, semblent esquisser des pas de danse. Les arabesques sont reprises en écho à tous les niveaux du tableau. La dénivellation du sol trace un arc de cercle. La farandole des couples, annoncée par la guirlande de fleurs ❹ et prolongée par la file des amours ❺, dessine des lignes dansantes.

• **Lumière et couleurs.** La poésie de la représentation tient aussi au raffinement des coloris. Si le vert du paysage domine, les personnages se détachent par une même gamme chromatique, avec des tons chauds comme le rouge ou l'or accompagnés de bleu. Les reflets du satin éclairent la toilette de la dame courtisée. Au loin, des dégradés de couleur créent une atmosphère vaporeuse, novatrice pour l'époque, où l'horizon montagneux finit par se dissoudre dans la lumière.

➡ **J'interprète**

• **La représentation de la séduction.** Dans ces « *fragments de discours amoureux* » (Roland Barthes), une progression est sensible. D'abord la persuasion : le cavalier murmure des mots d'amour à la jeune femme, laquelle baisse timidement les yeux tandis qu'un *putto* (angelot nu et ailé) tire sur sa jupe. À côté, la dame accepte d'être relevée, voire enlevée. Le troisième couple se dirige enlacé vers la barque.

• **La symbolique de l'île.** Le peintre nous offre une représentation allégorique des plaisirs amoureux. L'île, lieu magique et sacré, coupé du monde, traduit le mystère et l'intensité du désir. Chaque détail de la scène renvoie à l'amour : la statue d'Aphrodite ; la coquille, emblème de la déesse qui orne la poupe ; les *putti* qui virevoltent ; la barque, semblable à un lit à baldaquin.

• **Une interprétation ambiguë.** Pourtant, l'interprétation du tableau demeure ambiguë, même pour les historiens de l'art, qui ne parviennent pas à un accord. Les pèlerins embarquent-ils pour Cythère ou quittent-ils l'île ?
On peut imaginer un voyage initiatique avec des couples qui s'apprêtent à rejoindre Cythère. L'expression des femmes aux joues roses – l'une les yeux baissés, l'autre regardant derrière elle – traduit alors une retenue pudique. Ou ne serait-ce pas plutôt, aux lueurs du soleil couchant, le moment de quitter l'île de toutes les jouissances ? La présence de la statue et des *putti* confirmerait qu'il s'agit du départ de Cythère. Le regard en arrière signifierait alors la fugacité des plaisirs et nimberait la toile de nostalgie.
Embarquement joyeux ou départ mélancolique, représentation symbolique ou scène de théâtre : l'interprétation reste ouverte.

Réécriture et mise en scène de *Candide*
par Mark Ravenhill et Lyndsey Turner

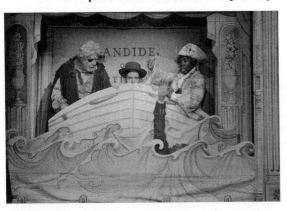

De gauche à droite :
Ian Redford (Pangloss),
Ciaran Owens (le marin),
Dwane Walcott (Candide)
et l'anabaptiste Jacques
(Kevin Harvey).
Document reproduit en
page 28.

La photo a été prise le 3 septembre 2013, lors d'une représentation de *Candide* au Swan Theater de Stratford-upon-Avon. La pièce, réécrite par le dramaturge anglais Mark Ravenhill et dirigée par Lyndsey Turner, est une production de la Royal Shakespeare Company, une des troupes britanniques les plus influentes. Stratford-upon-Avon est la ville où a vécu William Shakespeare (1564-1616).

➡ **Je découvre et je me documente**

Mark Ravenhill s'est librement inspiré du conte de Voltaire, enchâssant son intrigue dans une nouvelle pièce et mêlant les époques jusqu'à imaginer nos sociétés contemporaines en proie à l'éternelle illusion de l'optimisme. Il a choisi *Candide* parce que, dit-il, Voltaire le fait *« rire et penser »*. La photographie nous renvoie à l'épisode précis du naufrage, au début du chapitre V.

➡ **J'observe**

• **La composition**

La mise en abyme est manifeste, avec, à l'arrière-plan, le rappel du conte de Voltaire. En gros plan, une barque chaloupe sur les flots. Les protagonistes, Pangloss (Ian Redford) et Candide (Dwane Walcott), encadrent le marin (Ciaran Owens), rabaissé, qui occupe pourtant le centre de la scène. Nous apercevons aussi le visage de l'anabaptiste Jacques (Kevin Harvey) sur le point de se noyer. La verticalité de son bras, avec la main tendue, coupe brutalement la photographie

- Couleurs et lumière

Souligné par l'éclairage, le blanc bleuté de la barque et des vagues se détache au premier plan, de même que le costume clair de Candide. Un effet de contraste est créé avec les couleurs noires et brunes associées aux autres personnages.

⇒ J'interprète

- La fidélité au conte

L'anabaptiste Jacques, rencontré par Candide au chapitre III, sauve le jeune homme et son maître Pangloss et embarque avec eux pour Lisbonne. « *Le vaisseau fut assailli de la plus horrible tempête, à la vue du port de Lisbonne* » (chap. IV). La photographie illustre précisément le forfait du matelot qui laisse périr Jacques venu à son secours. Comme dans le conte, Pangloss est borgne et le matelot assiste à la noyade de l'anabaptiste « *sans daigner seulement le regarder* ».

- L'intérêt de la mise en scène

La mise en scène met en relief le passage et permet de nuancer les registres. L'expressivité des regards traduit les sentiments des personnages : l'effarement de Candide, la distance étonnée de Pangloss, la terreur du noyé. Le jeu des mains, qui se rapprochent sans pouvoir se rejoindre, illustre la détresse de Jacques et de Candide, tandis que les mains du marin restent symboliquement agrippées au bateau.

Par certains côtés, la scène nous renvoie aussi à la comédie italienne. La posture du marin, fixe au milieu de la tourmente, lui donne, malgré le Mal qu'il incarne, un aspect comique. Candide, quant à lui, regarde à l'opposé du noyé. Le décor factice, tout en carton, et les costumes ajoutent au burlesque : le chapeau moderne du matelot, confronté au costume d'époque de Candide, semble nous dire que le Mal est intemporel. La tenue négligée de Pangloss en fait un philosophe décalé et repoussant. On peut enfin imaginer une musique violente accompagnant l'épisode et dénonçant l'optimisme de Pangloss.

Voltaire à son lever, à Ferney, dictant à son secrétaire Cosimo Collini.
Tableau de Jean Huber (1721-1786).

⁊ Prolongements

Les aventures de *Candide*, emblématiques du Siècle des lumières, nourrissent encore notre culture. En effet, les procédés employés et les thèmes croisés sont déclinés au fil des siècles, et le conte de Voltaire suscite aujourd'hui de nombreuses adaptations.

CANDIDE AU CINÉMA

Le film réalisé en 1960 par Robert Carbonnaux transpose le conte pendant la Seconde Guerre mondiale. Traqué par la Gestapo, le jeune Candide fuit avec Cunégonde en Argentine, et nous suivons ses tribulations jusqu'en 1960…

EN MUSIQUE AVEC BERNSTEIN

La comédie musicale du compositeur américain Leonard Bernstein, adaptée du conte de Voltaire en 1956, fut modernisée en 2006. Le voyage initiatique de Candide se déroule aux États-Unis et permet une satire mordante des années 1950-1960.

SUR LA TOILE

La BNF met en ligne, sur son site, les documents réunis pour l'exposition présentée en 2006 sur le Siècle des lumières (expositions.bnf.fr/lumieres). Des synthèses et des documents éclairent le XVIIIᵉ siècle européen : vision du monde et de l'individu, idéaux, principales personnalités… En cliquant sur l'onglet « Pistes pédagogiques », vous accéderez à 12 parcours rattachés à différents extraits de *Candide* : le paradis, la guerre, l'utopie…

À PROPOS DE L'ESCLAVAGE

D'autres auteurs, plus proches de nous, ont aussi abordé la question de l'esclavage :

• Victor Hugo, *Bug Jargal*, 1826. Ce roman de jeunesse présente la révolte des esclaves noirs de Saint-Domingue en 1791. Au-delà de la dimension historique, le sublime Bug Jargal, chef des révoltés, et le monstrueux nain Habibrah, son rival, nous conduisent dans l'univers de l'épopée.

• Alex Haley, *Racines*, 1976. L'histoire d'une famille afro-américaine sur plus de deux siècles. Le roman, inspiré par la vie des ancêtres de l'auteur, débute en Gambie en 1767 par la capture de Kounta Kinté, qui deviendra esclave dans le Sud des États-Unis.

• Toni Morrison, *Beloved*, 1987. Ce roman du prix Nobel de littérature en 1993 se situe à la fin du XIX[e] siècle, dans le Sud des États-Unis. Sethe est une ancienne esclave hantée par le fantôme de sa fille, Beloved, qu'elle a tuée alors qu'elle n'était encore qu'un bébé, afin de lui épargner un destin de servitude.

SUR LES PLANCHES

Candide a fait l'objet d'adaptations pour la scène : pièces de théâtre (mises en scène de Jean-Claude Amyl en 1998, de Vincent Colin en 1995, de la Royal Shakespeare Company en 2013…), mais aussi spectacle masqué par la compagnie Zéfiro Théâtre en 2010 et même spectacle de marionnettes mis en scène par Antoine Laprise en 1997.

LE REGARD DISTANCIÉ

Dans *Candide*, Voltaire reprend la technique du regard distancié employée notamment par Montesquieu dans ses *Lettres persanes* (1721). Le regard naïf de ses deux Persans sur Paris, les habitudes et les institutions françaises a ainsi permis à ce dernier de dénoncer certains abus sans risquer la censure.

Voltaire a aussi eu recours au regard distancié et au voyage pour exprimer ses critiques et ses réflexions dans *Zadig ou la Destinée* (1747), *Micromégas* (1752), *Les Voyages de Scarmentado* (1756) et *L'Ingénu* (1767).

Retrouvez ce procédé mis au service de la dénonciation dans des romans contemporains (voir les conseils de lecture ci-dessous).

➤ **CONSEILS de LECTURE**

• Eduardo Mendoza, *Sans nouvelles de Gurb* (1990), Seuil, 1994. Tandis que l'extraterrestre Gurb, sous les traits de Madonna, a disparu dans Barcelone, son coéquipier tente de s'adapter au monde des hommes. Son journal intime, aussi naïf que consciencieux, livre une satire amusante de notre vie moderne.

• Didier Daeninckx, *Cannibale*, Verdier, 1998. À l'occasion de l'Exposition coloniale de 1931, les organisateurs décident de faire venir de Nouvelle-Calédonie une trentaine de Kanaks. Certains d'entre eux sont envoyés dans un cirque en Allemagne. Le narrateur, un Kanak s'enfuyant de l'Exposition pour retrouver ses amis, découvre le Paris des années 1930 : modernité, cruauté, mais aussi quelques beaux élans de solidarité.

Dossier
spécial BAC

1) Sujets d'écrit
- ▶ Sujet 1 174
- ▶ Sujet 2 178

2) Sujets d'oral
- ▶ Sujet 1 183
- ▶ Sujet 2 186

Sujet 1

▶ **Texte A : Voltaire, *Candide***

1 Après le tremblement de terre qui avait détruit les trois quarts de Lisbonne, les sages du pays n'avaient pas trouvé un moyen plus efficace pour prévenir une ruine totale que de donner au peuple un bel auto-da-fé ; il était décidé par l'université de Coïmbre que le
5 spectacle de quelques personnes brûlées à petit feu, en grande cérémonie, est un secret infaillible pour empêcher la terre de trembler. On avait en conséquence saisi un Biscayen[1] convaincu d'avoir épousé sa commère[2], et deux Portugais qui en mangeant un poulet en avaient arraché le lard : on vint lier après le dîner le docteur Pan-
10 gloss et son disciple Candide, l'un pour avoir parlé, et l'autre pour avoir écouté avec un air d'approbation : tous deux furent menés séparément dans des appartements d'une extrême fraîcheur, dans lesquels on n'était jamais incommodé du soleil ; huit jours après ils furent tous deux revêtus d'un *san-benito*[3], et on orna leurs têtes
15 de mitres[4] de papier : la mitre et le san-benito de Candide étaient peints de flammes renversées et de diables qui n'avaient ni queues ni griffes ; mais les diables de Pangloss portaient griffes et queues, et les flammes étaient droites. Ils marchèrent en procession ainsi vêtus, et entendirent un sermon très pathétique, suivi d'une belle musique
20 en faux-bourdon[5]. Candide fut fessé en cadence, pendant qu'on chantait ; le Biscayen et les deux hommes qui n'avaient point voulu manger de lard furent brûlés, et Pangloss fut pendu, quoique ce ne soit pas la coutume. Le même jour, la terre trembla de nouveau avec un fracas épouvantable.

<div align="right">Voltaire, Candide, extrait du chap. VI, 1759.</div>

1. Biscayen : originaire du Nord du pays. **2. commère :** marraine d'un enfant dont le Biscayen est lui-même parrain. Le parrain et la marraine d'un enfant ne pouvaient se marier sans une autorisation spéciale de l'Église. **3. *san-benito* :** vêtement rituel porté par les victimes de l'Inquisition. **4. mitres :** coiffures pointues (portées par les évêques). **5. faux-bourdon :** accords de musique accompagnant le chant religieux.

▶ Texte B : André Malraux, *La Condition humaine*

Malraux situe son roman en 1927, dans le contexte de la révolution chinoise. Katow et ses amis révolutionnaires attendent leur tour de mourir brûlés dans la chaudière d'une locomotive dont ils entendent le sifflet.

1 Malgré la rumeur, malgré tous ces hommes qui avaient combattu comme lui, Katow était seul, seul entre le corps de son ami mort et ses deux compagnons épouvantés, seul entre ce mur et ce sifflet perdu dans la nuit. Mais un homme pouvait être plus fort que cette
5 solitude et même, peut-être, que ce sifflet atroce : la peur luttait en lui contre la plus terrible tentation de sa vie. Il ouvrit à son tour la boucle de sa ceinture. Enfin :
— Hé, là, dit-il à voix très basse. Souen, pose ta main sur ma poitrine et prends dès que je la toucherai : je vais vous donner mon cyanure.
10 Il n'y en a absolument que pour deux.
Il avait renoncé à tout sauf à dire qu'il n'y en avait que pour deux. Couché sur le côté, il brisa le cyanure en deux. Les gardes masquaient la lumière, qui les entourait d'une auréole trouble ; mais n'allaient-ils pas bouger ? Impossible de voir quoi que ce fût ; ce don
15 de plus que sa vie, Katow le faisait à cette main chaude qui reposait sur lui, pas même à des corps. Elle se crispa comme un animal, se sépara de lui aussitôt. Il attendit, tout le corps tendu. Et soudain, il entendit l'une des deux voix :
— C'est perdu. Tombé.
20 Voix à peine altérée par l'angoisse, comme si une telle catastrophe n'eût pas été possible, comme si tout eût dû s'arranger. Pour Katow aussi, c'était impossible. Une colère sans limites montait en lui mais retombait, combattue par cette impossibilité. Et pourtant ! Avoir donné *cela* pour que cet idiot le perdît !
25 — Quand ? demanda-t-il.
— Avant mon corps. Pas pu tenir quand Souen l'a passé : je suis blessé à la main.
— Il a fait tomber les deux, dit Souen.
Sans doute cherchaient-ils entre eux. Ils cherchèrent ensuite entre
30 Katow et Souen, sur qui l'autre était probablement presque couché, car Katow, sans rien voir, sentait près de lui la masse des deux corps. Il cherchait lui aussi, s'efforçant de vaincre sa nervosité, de poser sa main à plat, de dix centimètres en dix centimètres, partout où il

pouvait atteindre. Leurs mains frôlèrent la sienne. Et tout à coup
35 une des deux la prit, la serra, la conserva.
– Même si nous ne retrouvons rien…, dit une des voix.
Katow, lui aussi, serrait la main, à la limite des larmes, pris par cette
pauvre fraternité sans visage, presque sans voix (tous les chucho-
tements se ressemblent), qui lui était donnée dans cette obscurité
40 contre le plus grand don qu'il eût jamais fait et qui était peut-être
fait en vain. Bien que Souen continuât à chercher, les deux mains
restaient unies. L'étreinte devint soudain crispation :
– Voilà. Ô résurrection !…

André Malraux, *La Condition humaine*, Gallimard, 1933.

▶ Texte C : Michel Tournier, *Vendredi ou les Limbes du Pacifique*

Michel Tournier réécrit ici, à sa manière, le roman de Daniel Defoe. Avant
de rencontrer l'Araucanien qu'il surnommera «Vendredi», Robinson
Crusoé est amené à observer une cérémonie particulièrement cruelle.

1 Grâce à des récits qu'il avait entendus en Araucanie, il devinait le
sens de la cérémonie qui se déroulait actuellement sur le rivage.
Une femme décharnée et échevelée, chancelant à l'intérieur du
cercle formé par les hommes, s'approchait du feu, y jetait une poi-
5 gnée de poudre et respirait avidement les lourdes volutes blanches
qui s'élevaient aussitôt. Puis, comme soulevée par cette inhala-
tion, elle se tournait vers les Indiens immobiles et semblait les
passer en revue, pas à pas, avec de brusques arrêts devant l'un ou
l'autre. Ensuite, elle revenait près du foyer, et le manège recom-
10 mençait, si bien que Robinson se demandait si la sorcière n'allait
pas s'écrouler asphyxiée avant l'achèvement du rite. Mais non, le
dramatique dénouement se produisit tout à coup. La silhouette
haillonneuse tendait le bras vers l'un des hommes. Sa bouche
grande ouverte devait proférer des malédictions que Robinson
15 n'entendait pas. L'Indien désigné par la voyante comme respon-
sable d'un mal quelconque dont la communauté devait souffrir
– épidémie ou sécheresse – se jeta à plat ventre sur le sol, secoué
de grands frissons. L'un des Indiens marcha vers lui. Sa machette
fit d'abord voler le tablier du misérable, puis elle s'abattit sur lui
20 à coups réguliers, détachant sa tête, puis ses bras et ses jambes.

Enfin, les six morceaux de la victime furent portés dans le brasier, tandis que la sorcière, accroupie, recroquevillée sur le sable, priait, dormait, vomissait ou pissait.

Michel Tournier, *Vendredi ou les Limbes du Pacifique*, Gallimard, 1977.

▶ Texte D : René Girard, *Je vois Satan tomber comme l'éclair*

René Girard a analysé en profondeur le mécanisme des sacrifices dans son essai *La Violence et le Sacré* (Grasset, 1972). Il reprend ici quelques aspects de cette étude, en insistant sur la spécificité du message biblique.

1 Les mythes débutent presque toujours par un état de désordre extrême. […] Toujours et partout on peut résumer la situation initiale en termes d'une crise qui fait peser sur la communauté et son système culturel une menace de destruction orale.

5 Cette crise est presque toujours résolue par la violence et celle-ci, même si elle n'est pas collective, a des résonances collectives. […] Au paroxysme de la crise, la violence unanime se déclenche. Dans beaucoup de mythes qui nous paraissent les plus archaïques et qui, à mon avis, le sont effectivement, l'unanimité violente

10 se présente comme une ruée en masse plus suggérée que vraiment décrite et qui se retrouve, très évidente, manifeste, dans les rituels. Ceux-ci visiblement *reproduisent*, nous soupçonnons déjà pourquoi, la violence unanime et réconciliatrice du mécanisme victimaire.

15 Le protagoniste dans les mythes archaïques, c'est la communauté entière transformée en foule violente. Se croyant menacée par un individu isolé, fréquemment un étranger, elle massacre spontanément le visiteur. On retrouve ce type de violence en pleine Grèce classique, dans le culte sinistre de Dionysos[1].

20 Les agresseurs se précipitent comme un seul homme sur leur victime. L'hystérie collective est telle qu'ils se conduisent, littéralement, comme des bêtes de proie.

René Girard, *Je vois Satan tomber comme l'éclair*, Grasset, 1999.

1. Dionysos : dieu grec du Vin (Bacchus chez les Romains). Les initiés du culte de Dionysos se livraient à la débauche mais aussi à toutes sortes de meurtres.

Sujets du bac

➡ **Question**

Quel sens prend le sacrifice dans les différents textes ?

➡ **Commentaire**

Vous ferez le commentaire du texte d'André Malraux (texte B).

➡ **Dissertation**

Les œuvres d'art sont-elles efficaces pour dénoncer l'usage de la violence ?

Vous répondrez à cette question en vous appuyant sur le corpus et sur les œuvres que vous connaissez, sans vous restreindre à la littérature.

➡ **Sujet d'invention**

Imaginez le discours que Candide pourrait prononcer pour sa défense devant le tribunal de l'Inquisition.

Sujet 2

▶ Texte A : La Fontaine, *Fables*

La Fontaine, dans sa fable « Le Philosophe scythe », s'inspire des *Nuits attiques* de l'écrivain latin Aulu-Gelle (IIe siècle ap. J.-C.). Et sans doute Voltaire s'inspira-t-il à son tour de cette fable…

1 Un philosophe austère, et né dans la Scythie,
 Se proposant de suivre une plus douce vie,
 Voyagea chez les Grecs, et vit en certains lieux
 Un sage assez semblable au vieillard de Virgile[1],
5 Homme égalant les rois, homme approchant des dieux,
 Et, comme ces derniers, satisfait et tranquille.
 Son bonheur consistait aux beautés d'un jardin.
 Le Scythe l'y trouva qui, la serpe à la main,
 De ses arbres à fruits retranchait l'inutile,
10 Ébranchait, émondait[2], ôtait ceci, cela,
 Corrigeant partout la nature,
 Excessive à payer ses soins avec usure.
 Le Scythe alors lui demanda

Pourquoi cette ruine[3] : était-il d'homme sage
15 De mutiler ainsi ces pauvres habitants ?
« Quittez-moi votre serpe, instrument de dommage ;
 Laissez agir la faux du temps :
Ils iront assez tôt border le noir rivage.
— J'ôte le superflu, dit l'autre, et, l'abattant,
20 Le reste en profite d'autant. »
Le Scythe, retourné dans sa triste demeure,
Prend la serpe à son tour, coupe et taille à toute heure ;
Conseille à ses voisins, prescrit à ses amis
 Un universel abattis[4].
25 Il ôte de chez lui les branches les plus belles,
Il tronque son verger contre toute raison,
 Sans observer temps ni saison,
 Lunes ni vieilles ni nouvelles.
Tout languit et tout meurt. Ce Scythe exprime bien
30 Un indiscret[5] stoïcien :
 Celui-ci retranche de l'âme
Désirs et passions, le bon et le mauvais,
 Jusqu'aux plus innocents souhaits.
Contre de telles gens, quant à moi, je réclame.
35 Ils ôtent à nos cœurs le principal ressort ;
Ils font cesser de vivre avant que l'on soit mort.

Jean de La Fontaine, « Le Philosophe scythe », *Fables*, 1694.

1. Allusion aux *Géorgiques* de Virgile. **2. émondait :** débarrassait les arbres des branches inutiles. **3. ruine :** bois abattu. **4. abattis :** amas de bois abattu. **5. indiscret :** qui manque de discernement.

▶ **Texte B : Voltaire, *Candide***

1 Toute la petite société entra dans ce louable dessein ; chacun se
mit à exercer ses talents. La petite terre rapporta beaucoup. Cuné-
gonde était, à la vérité, bien laide ; mais elle devint une excellente
pâtissière ; Paquette broda ; la vieille eut soin du linge. Il n'y eut
5 pas jusqu'à frère Giroflée qui ne rendît service ; il fut un très bon
menuisier, et même devint honnête homme ; et Pangloss disait

quelquefois à Candide : « Tous les événements sont enchaînés dans le meilleur des mondes possibles : car enfin si vous n'aviez pas été chassé d'un beau château à grands coups de pied dans le derrière
10 pour l'amour de mademoiselle Cunégonde, si vous n'aviez pas été mis à l'Inquisition, si vous n'aviez pas couru l'Amérique à pied, si vous n'aviez pas donné un bon coup d'épée au baron, si vous n'aviez pas perdu tous vos moutons du bon pays d'Eldorado, vous ne mangeriez pas ici des cédrats confits et des pistaches. – Cela est
15 bien dit, répondit Candide, mais il faut cultiver notre jardin. »

Voltaire, *Candide*, fin du dernier chapitre, 1759.

▶ Texte C : Madame du Châtelet, *Discours sur le bonheur*

1 Il faut commencer par se bien dire à soi-même et par se bien convaincre que nous n'avons rien à faire dans ce monde qu'à nous y procurer des sensations et des sentiments agréables. Les moralistes qui disent aux hommes : réprimez vos passions, et maîtrisez vos
5 désirs, si vous voulez être heureux, ne connaissent pas le chemin du bonheur. On n'est heureux que par des goûts et des passions satisfaites ; je dis des goûts, parce qu'on n'est pas toujours assez heureux pour avoir des passions, et qu'au défaut des passions, il faut bien se contenter des goûts. Ce serait donc des passions qu'il faudrait
10 demander à Dieu, si on osait lui demander quelque chose […].
Mais, me dira-t-on, les passions ne font-elles pas plus de malheureux que d'heureux ? Je n'ai pas la balance nécessaire pour peser en général le bien et le mal qu'elles ont faits aux hommes ; mais il faut remarquer que les malheureux sont connus parce qu'ils ont
15 besoin des autres, qu'ils aiment à raconter leurs malheurs, qu'ils y cherchent des remèdes et du soulagement. Les gens heureux ne cherchent rien, et ne vont point avertir les autres de leur bonheur ; les malheureux sont intéressants, les gens heureux sont inconnus. […]
20 On connaît donc bien plus l'amour par les malheurs qu'il cause, que par le bonheur souvent obscur qu'il répand sur la vie des hommes. Mais supposons, pour un moment, que les passions fassent plus de malheureux que d'heureux, je dis qu'elles seraient encore à désirer, parce que c'est la condition sans laquelle on ne peut avoir de grands

25 plaisirs ; or, ce n'est la peine de vivre que pour avoir des sensations
et des sentiments agréables ; et plus les sentiments agréables sont
vifs, plus on est heureux. Il est donc à désirer d'être susceptible de
passions, et je le répète encore : n'en a pas qui veut.

Madame du Châtelet, *Discours sur le bonheur*, 1779.

▶ Texte D : Jean-Jacques Rousseau, *Les Confessions*

1 Ici commence le court bonheur de ma vie ; ici viennent les paisibles
mais rapides moments qui m'ont donné le droit de dire que j'ai
vécu. Moments précieux et si regrettés ! ah ! recommencez pour
moi votre aimable cours ; coulez plus lentement dans mon souve-
5 nir, s'il est possible, que vous ne fîtes réellement dans votre fugitive
succession. Comment ferai-je pour prolonger à mon gré ce récit
si touchant et si simple, pour redire toujours les mêmes choses, et
n'ennuyer pas plus mes lecteurs en les répétant, que je ne m'en-
nuyais moi-même en les recommençant sans cesse ? Encore si tout
10 cela consistait en faits, en actions, en paroles, je pourrais le décrire
et le rendre en quelque façon ; mais comment dire ce qui n'était ni
dit ni fait, ni pensé même, mais goûté, mais senti, sans que je puisse
énoncer d'autre objet de mon bonheur que ce sentiment même ?
Je me levais avec le soleil, et j'étais heureux ; je me promenais, et
15 j'étais heureux ; je voyais maman, et j'étais heureux ; je la quittais,
et j'étais heureux ; je parcourais les bois, les coteaux, j'errais dans
les vallons, je lisais, j'étais oisif, je travaillais au jardin, je cueillais
les fruits, j'aidais au ménage, et le bonheur me suivait partout : il
n'était dans aucune chose assignable, il était tout en moi-même, il
20 ne pouvait me quitter un seul instant.
Rien de tout ce qui m'est arrivé durant cette époque chérie, rien
de ce que j'ai fait, dit et pensé tout le temps qu'elle a duré n'est
échappé de ma mémoire. Les temps qui précèdent et qui suivent
me reviennent par intervalles ; je me les rappelle inégalement et
25 confusément ; mais je me rappelle celui-là tout entier comme s'il
durait encore.

Jean-Jacques Rousseau, *Les Confessions*, extrait du chap. VI, 1782-1789.

Sujets du bac

➡ Question

Comparez les conceptions du bonheur proposées par les textes du corpus.

➡ Commentaire

Vous ferez le commentaire du texte de Jean de La Fontaine (texte A).

➡ Dissertation

Doit-on toujours attendre d'une œuvre littéraire qu'elle nous donne une leçon ?

Vous répondrez à cette question en vous appuyant sur le corpus et sur les œuvres que vous connaissez.

➡ Sujet d'invention

En vous fondant sur des arguments et des exemples précis tirés de la réalité ou de vos lectures, imaginez un dialogue entre des personnes défendant deux conceptions différentes du bonheur. Votre dialogue sera inséré dans une trame narrative et précédé d'une brève introduction.

SUJET 1

▶ **TEXTE : Chapitre III (l. 1 à 35, pp. 20-21)**

1 Rien n'était si beau, si leste, si brillant, si bien ordonné que les deux armées. Les trompettes, les fifres, les hautbois, les tambours, les canons, formaient une harmonie telle qu'il n'y en eut jamais en enfer. Les canons renversèrent d'abord à peu près six mille hommes de
5 chaque côté ; ensuite la mousqueterie ôta du meilleur des mondes environ neuf à dix mille coquins qui en infectaient la surface. La baïonnette fut aussi la raison suffisante de la mort de quelques milliers d'hommes. Le tout pouvait bien se monter à une trentaine de mille âmes. Candide, qui tremblait comme un philosophe, se cacha
10 du mieux qu'il put pendant cette boucherie héroïque.

 Enfin, tandis que les deux rois faisaient chanter des *Te Deum* chacun dans son camp, il prit le parti d'aller raisonner ailleurs des effets et des causes. Il passa par-dessus des tas de morts et de mourants, et gagna d'abord un village voisin ; il était en cendres : c'était un
15 village abare que les Bulgares avaient brûlé, selon les lois du droit public. Ici des vieillards criblés de coups regardaient mourir leurs femmes égorgées, qui tenaient leurs enfants à leurs mamelles sanglantes ; là des filles, éventrées après avoir assouvi les besoins naturels de quelques héros, rendaient les derniers soupirs ; d'autres, à demi
20 brûlées, criaient qu'on achevât de leur donner la mort. Des cervelles étaient répandues sur la terre à côté de bras et de jambes coupés.

 Candide s'enfuit au plus vite dans un autre village : il appartenait à des Bulgares, et les héros abares l'avaient traité de même. Candide, toujours marchant sur des membres palpitants, ou à travers des
25 ruines, arriva enfin hors du théâtre de la guerre, portant quelques petites provisions dans son bissac, et n'oubliant jamais mademoiselle Cunégonde. Ses provisions lui manquèrent quand il fut en Hollande ; mais ayant entendu dire que tout le monde était riche dans ce pays-là, et qu'on y était chrétien, il ne douta pas qu'on ne le trai-
30 tât aussi bien qu'il l'avait été dans le château de monsieur le baron, avant qu'il en eût été chassé pour les beaux yeux de mademoiselle Cunégonde.

I – Première partie de l'épreuve

➥ **Lecture à voix haute**

> **À QUEL MOMENT LIRE ?**
>
> • Le texte doit être lu soit avant de commencer l'exposé, soit à la fin de l'introduction. Vous pouvez aussi le lire juste avant d'annoncer votre plan.

▶ Veillez à une lecture expressive respectant les différentes tonalités.

▶ Vous soulignerez les effets ironiques des hyperboles, puis ferez appel à l'émotion pour mettre en relief l'horreur du tableau réaliste.

➥ **Exposé**

Comment Voltaire procède-t-il pour dénoncer la guerre ?

Introduction

▶ Présentation de l'auteur et du conte.

▶ Situation du passage dans le conte ; enjeu et forme particulière (récit descriptif) de l'extrait.

▶ Rappel de la question donnée.

▶ Annonce et justification du plan adopté pour la réponse.

> **BÂTIR UN PLAN EN RÉPONSE À LA QUESTION**
>
> • Prenez bien en compte les différentes attentes de la question posée, quitte à vous écarter du plan choisi en classe. La question porte ici sur le contenu de la dénonciation et les moyens utilisés par Voltaire. Fondez-vous sur les registres et les points de vue pour étudier les procédés.

1. Le spectacle d'une « *boucherie héroïque* »

 A. Un spectacle esthétique : le regard naïf de Candide.

 B. Le détachement du narrateur.

 C. Une parodie d'épopée : l'ironie comme arme de la satire.

2. Un tableau réaliste et pathétique

 A. Le massacre d'innocents : le fanatisme à l'œuvre.

 B. Un tableau d'épouvante (étude du lexique, procédés d'hyperbole).

 C. Les réactions et les pensées implicites de Candide : peur et fuite.

3. La critique de Voltaire

 A. Mise en cause des rois et de la religion.

 B. La guerre : une absurdité.

 C. Le Mal moral : un démenti à l'optimisme.

Conclusion

▌ Bilan de l'étude.

▌ Pour élargir la conclusion, vous pourrez développer une ou plusieurs des pistes suivantes : l'évolution de Candide au cours de ses voyages ; le thème récurrent de la guerre dans *Candide* ; les autres figures du Mal dans l'œuvre.

II – Seconde partie de l'épreuve

CONSEILS POUR L'ENTRETIEN

• L'examinateur peut revenir brièvement sur quelques points de l'exposé avant de se tourner vers le travail effectué dans la séquence et vers l'objet d'étude au programme. Il peut, notamment, prendre appui sur les pistes abordées en conclusion. Par conséquent, veillez à ne pas avancer, pour conclure, une réflexion que vous ne seriez pas en mesure d'approfondir.

➡ **Quelques questions possibles à partir de la conclusion du (de la) candidat(e)**

▌ À la fin du chapitre, Candide reste pourtant influencé par son maître Pangloss. Quelle rencontre est à l'origine de son optimisme retrouvé ?

▌ En quoi cet extrait est-il un exemple d'argumentation indirecte ?

▌ Évoquez d'autres épisodes de *Candide* qui illustrent la force critique de l'ironie ?

▌ Au-delà de la dérision, l'émotion n'est-elle pas aussi présente dans le conte ? À quel passage en particulier pensez-vous ?

➡ **Autres questions possibles au fil de l'entretien**

▌ Quelles réflexions vous inspire le titre du conte : *Candide ou l'Optimisme* ?

▌ *Candide* est-il, selon vous, un récit d'apprentissage ?

▌ À quel événement contemporain cette guerre fait-elle allusion ?

▌ En quoi la critique se rattache-t-elle au combat de Voltaire contre « *l'Infâme* » ?

▌ La dénonciation de la guerre n'est-elle pas un thème récurrent dans la littérature ? dans la peinture ?

SUJET 2

▶ TEXTE : Chapitre XXX (l. 72 à 115, pp. 133-134)

1 Il y avait dans le voisinage un derviche très fameux qui passait pour le meilleur philosophe de la Turquie ; ils allèrent le consulter ; Pangloss porta la parole et lui dit : « Maître, nous venons vous prier de nous dire pourquoi un aussi étrange animal que l'homme a été

5 formé. – De quoi te mêles-tu ? lui dit le derviche ; est-ce là ton affaire ? – Mais, mon révérend père, dit Candide, il y a horriblement de mal sur la terre. – Qu'importe, dit le derviche, qu'il y ait du mal ou du bien ? Quand Sa Hautesse envoie un vaisseau en Égypte, s'embarrasse-t-elle si les souris qui sont dans le vaisseau sont à leur

10 aise ou non ? – Que faut-il donc faire ? dit Pangloss. – Te taire, dit le derviche. – Je me flattais, dit Pangloss, de raisonner un peu avec vous des effets et des causes, du meilleur des mondes possibles, de l'origine du mal, de la nature de l'âme, et de l'harmonie préétablie. » Le derviche, à ces mots, leur ferma la porte au nez.

15 Pendant cette conversation, la nouvelle s'était répandue qu'on venait d'étrangler à Constantinople deux vizirs du banc et le muphti, et qu'on avait empalé plusieurs de leurs amis. Cette catastrophe faisait partout un grand bruit pendant quelques heures. Pangloss, Candide et Martin, en retournant à la petite métairie, rencon-

20 trèrent un bon vieillard qui prenait le frais à sa porte sous un berceau d'orangers. Pangloss, qui était aussi curieux que raisonneur, lui demanda comment se nommait le muphti qu'on venait d'étrangler. « Je n'en sais rien, répondit le bonhomme ; et je n'ai jamais su le nom d'aucun muphti ni d'aucun vizir. J'ignore absolument l'aven-

25 ture dont vous me parlez ; je présume qu'en général ceux qui se mêlent des affaires publiques périssent quelquefois misérablement, et qu'ils le méritent ; mais je ne m'informe jamais de ce qu'on fait à Constantinople ; je me contente d'y envoyer vendre les fruits du jardin que je cultive. » Ayant dit ces mots, il fit entrer les étrangers

30 dans sa maison ; ses deux filles et ses deux fils leur présentèrent plusieurs sortes de sorbets qu'ils faisaient eux-mêmes, du kaïmak piqué d'écorces de cédrat confit, des oranges, des citrons, des limons, des

35 ananas, des pistaches, du café de Moka qui n'était point mêlé avec le mauvais café de Batavia et des îles. Après quoi les deux filles de ce bon musulman parfumèrent les barbes de Candide, de Pangloss et de Martin.

« Vous devez avoir, dit Candide au Turc, une vaste et magnifique terre ? – Je n'ai que vingt arpents, répondit le Turc ; je les cultive avec mes enfants ; le travail éloigne de nous trois grands maux, l'en-
40 nui, le vice, et le besoin. »

I – Première partie de l'épreuve

⇒ **Lecture à voix haute**

Votre lecture veillera à respecter les modalités interrogatives (Pangloss, le derviche et Candide) et rendra compte des intonations et du caractère de chaque interlocuteur.

⇒ **Exposé**

Quelles sont, pour les héros du conte, les leçons de cette double rencontre ?

Introduction

❙ Présentation de l'auteur et du conte.

❙ Situation du passage dans le conte ; enjeu et forme particulière de l'extrait (une double rencontre sous forme d'apologues).

❙ Il est intéressant de préciser, dans l'introduction, le genre du passage étudié, dont les ressources spécifiques seront exploitées dans le développement : pour mémoire, l'apologue est un court récit allégorique à visée morale.

❙ Rappel de la question posée.

❙ Annonce et justification du plan choisi pour répondre à la question.

..

BÂTIR UN PLAN EN RÉPONSE À LA QUESTION

• La question se réfère à la progression du texte. Vous pouvez enrichir votre étude linéaire du texte par celle des symétries de construction de chaque épisode.

1. Une similitude de construction : deux apologues

A. Deux récits avec insertion de paroles.

B. Deux personnages symboliques : « *un derviche très fameux* » et « *un bon vieillard* ».

C. Une visée didactique commune : le refus des débats théoriques (métaphysique et politique).

2. La consultation du derviche

A. Un conflit de caractères : en quoi Pangloss et le derviche sont-ils opposés ? comment se manifeste cette opposition ?
B. La parabole du derviche : que représentent les personnages, l'histoire, etc. ?
C. La rencontre : bilan positif (rejet de la métaphysique) ou négatif (absence de réponse, résignation) ?

3. La conversation avec le vieillard

A. Le contexte exotique : quels éléments relèvent d'une fiction orientale ? quel est l'intérêt de ce choix ?
B. Les prises de parole : leur répartition, le discours en forme de leçon du vieillard.
C. La sagesse positive du vieillard.

Conclusion

▶ Bilan de l'étude.
▶ Les rencontres formatrices de Candide et sa conquête de l'autonomie.
▶ L'annonce du dénouement : l'apologie du travail.
▶ Une philosophie de vie se dessine, qui sera confirmée par la fin du conte.

II – Seconde partie de l'épreuve

➡ **Quelques questions possibles à partir de la conclusion du (de la) candidat(e)**

▶ Candide est enfin autonome. Quelles ont été les principales étapes de la remise en cause de l'enseignement de Pangloss ?
▶ Que signifie la maxime finale du conte ?

➡ **Autres questions possibles au fil de l'entretien**

▶ Où se situe la fin du voyage ? Pourquoi ce choix ?
▶ Le personnage de Martin évolue-t-il à la fin du conte ?
▶ Comparez les trois paradis évoqués dans le conte.
▶ La question du Mal est-elle réglée ?
▶ La quête du bonheur n'est-elle pas fondamentale pour les philosophes des Lumières ?

Conception graphique
Couverture : Mélissa Chalot
Intérieur : GRAPH'in-folio

Édition
Fabrice Pinel

Mise en pages
APS

PAPIER À BASE DE
FIBRES CERTIFIÉES

Le Livre de Poche s'engage pour
l'environnement en réduisant
l'empreinte carbone de ses livres.
Celle de cet exemplaire est de :
400 g éq. CO_2
Rendez-vous sur
www.livredepoche-durable.fr

Achevé d'imprimer en Février 2022 en Espagne par Black Print
Dépôt légal : Juin 2016 – Édition : 06
25/0420/0

Dans la même collection

ANONYMES
Ali Baba et les quarante voleurs (37)
Fabliaux du Moyen Âge (20)
Gilgamesh (83)
La Bible (15)
La Farce de Maître Pathelin (17)
Le Roman de Renart (10)
Les Mille et Une Nuits (93)
Tristan et Iseult (11)

ANTHOLOGIES
L'Autobiographie (38)
Dire l'amour, de l'Antiquité
à nos jours (91)
L'Héritage romain (42)
Poèmes 6e-5e (40)
Poèmes 4e-3e (46)
Textes de l'Antiquité (63)
Textes du Moyen Âge
et de la Renaissance (67)
Théâtre pour rire 6e-5e (52)

ALAIN-FOURNIER
Le Grand Meaulnes (77)

ANDERSEN
La Petite Sirène et autres
contes (27)

BALZAC
Le Colonel Chabert (43)
Eugénie Grandet (82)

BAUDELAIRE
Le Spleen de Paris (29)

CARROLL
Alice au pays des merveilles (74)

CHÂTEAUREYNAUD
Le Verger et autres nouvelles (58)

CHRÉTIEN DE TROYES
Lancelot ou le Chevalier
de la charrette (62)
Perceval ou le Conte du Graal (70)
Yvain ou le Chevalier au lion (41)

CHRISTIE
La mort n'est pas une fin (3)

Nouvelles policières (21)

CORNEILLE
Le Cid (2)

COURTELINE
Comédies (69)

DAUDET
Lettres de mon moulin (28)

DES MAZERY
La Vie tranchée (75)

DOYLE
Scandale en Bohême et autres
nouvelles (30)
Le Chien des Baskerville (49)

FLAUBERT
Un cœur simple (31)

GAUTIER
La Cafetière et autres contes
fantastiques (19)
Le Capitaine Fracasse (56)

GREENE
Le Troisième Homme (79)

GRIMM
Contes (44)

HOMÈRE
Odyssée (8)

HUGO
Claude Gueux (65)
Les Misérables (35)
L'épopée de Gavroche,
extraits des *Misérables* (96)

JARRY
Ubu Roi (55)

LABICHE
Le Voyage de Monsieur Perrichon (50)

LA FONTAINE
Fables (9)

LEPRINCE DE BEAUMONT
La Belle et la Bête et autres contes (68)

LÉRY
Voyage en terre de Brésil (26)

Dans la même collection (suite et fin)

LONDON
L'Appel de la forêt (84)

MARIVAUX
L'Île des esclaves (94)

MAUPASSANT
Boule de Suif (60)
Le Horla et six contes fantastiques (22)
Nouvelles réalistes (92)
Toine et autres contes (12)

MÉRIMÉE
La Vénus d'Ille (13)
Tamango (66)

MOLIÈRE
George Dandin (45)
L'Avare (16)
Le Bourgeois gentilhomme (33)
L'École des femmes (24)
Les Femmes savantes (18)
Les Fourberies de Scapin (1)
Les Précieuses ridicules (80)
Le Malade imaginaire (5)
Le Médecin malgré lui (7)
Le Médecin volant – L'Amour médecin (76)

MONTESQUIEU
Lettres persanes (47)

MUSSET
Les Caprices de Marianne (85)

NÉMIROVSKY
Le Bal (57)

OBALDIA
Innocentines (59)

OLMI
Numéro Six (90)

ORWELL
La Ferme des animaux (98)

PERRAULT
Contes (6)

POE
Le Chat noir et autres contes (34)
Le Scarabée d'or (53)

POPPE
Là-bas (89)

RABELAIS
Gargantua – Pantagruel (25)

RACINE
Andromaque (23)
Iphigénie (86)

RENARD
Poil de carotte (32)

ROSTAND
Cyrano de Bergerac (95)

SAGAN
Bonjour tristesse (88)

SAND
La Mare au diable (4)
Le Chêne parlant (97)

SHAKESPEARE
Roméo et Juliette (71)

STENDHAL
Vanina Vanini (61)

STEVENSON
L'Île au trésor (48)

STOKER
Dracula (81)

VALLÈS
L'Enfant (64)

VERNE
Le Tour du monde en quatre-vingts jours (73)
Un hivernage dans les glaces (51)

VILLIERS DE L'ISLE-ADAM
Contes cruels (54)

VOLTAIRE
Micromégas et autres contes (14)
Zadig ou la Destinée (72)

WILDE
Le Fantôme de Canterville (36)

ZOLA
Jacques Damour et autres nouvelles (39)
Au bonheur des dames (78)

ZWEIG
Le Joueur d'échecs (87)